LECTURES ELI S

Les Lectures ELI présentent
complète de publications allant des
histoires contemporaines et captivantes
aux émotions éternelles des grands
classiques. Elles s'adressent aux lecteurs
de tout âge et sont divisées en trois
collections : Lectures ELI Poussins,
Lectures ELI Juniors, Lectures ELI Seniors.
En dehors de la qualité éditoriale,
les Lectures ELI fournissent un support
didactique facile à gérer et capturent
l'attention des lecteurs avec des
illustrations ayant un fort impact
artistique et visuel.

Alain-Fournier

Le Grand Meaulnes

Adaptation et activités de Domitille Hatuel
Illustrations de Sara Migneco

LECTURES ELI SENIORS

Le Grand Meaulnes
Alain-Fournier
Adaptation et activités de Domitille Hatuel
Illustrations de Sara Migneco
Révision de Mery Martinelli

Lectures ELI
Création de la collection et coordination éditoriale
Paola Accattoli, Grazia Ancillani, Daniele Garbuglia (Directeur artistique)

Conception graphique
Sergio Elisei

Mise en page
Diletta Brutti

Responsable de production
Francesco Capitano

Crédits photographiques
Getty Images, Shutterstock

© 2011 ELI S.r.l.
B.P. 6 - 62019 Recanati - Italie
Tél. +39 071 750701
Fax +39 071 977851
info@elionline.com
www.elionline.com

Fonte utilisée 13 / 18 points Monotype Dante

Achevé d'imprimer en Italie par Tecnostampa Recanati
ERA 202.01
ISBN 978-88-536-0657-0

Première édition Février 2011

www.elireaders.com

Sommaire

Les parties de l'histoire enregistrées sur le CD sont signalées par les symboles qui suivent :
Début **Fin** ◼

MEAULNES

FRANÇOIS

YVONNE

VALENTINE

FRANTZ

Culture générale

1 *Le Grand Meaulnes* est publié en 1913. Qui est le président
de la République à cette date ? Coche la bonne réponse.

☐ Raymond Poincaré

☐ Napoléon

☐ Charles de Gaulle

2 Un an plus tard, en 1914, le monde change. Que se passe-t-il ?

....

....

3 Complète cette chronologie de l'époque en t'aidant des
indications données.

1 ☐ l'Église et de l'état.

2 ☐ le Titanic.

3 ☐ Picasso crée *Les Demoiselles d'Avignon*.

4 ☐ Marie Curie.

5 ☐ Wassily Kandinsky créé *Aquarelle Abstraite*.

6 ☐ *Du côté de chez Swann*

7 ⓐ Exposition Universelle

a 1900 : *Exposition Universelle* à Paris.

b 1905 : séparation de ....

c 1907 : .... C'est le début du Cubisme.

d 1910 : .... Il fonde l'art abstrait.

e 1911 : .... reçoit le prix Nobel de chimie.

f 1912 : .... heurte un iceberg.

g 1913 : publication de .... de Marcel Proust.

Compréhension

4 **Lis le texte et coche les affirmations correctes.**

La Nouvelle Revue Française

Le Grand Meaulnes est publié pour la première fois dans *La Nouvelle Revue Française*, une revue littéraire et de critique fondée au début de l'année 1908 par un groupe d'écrivains. Suite à une mauvaise entente entre André Gide et Eugène Montfort, qui ont participé au premier numéro de la *NRF*, le groupe éclate. Un « second » premier numéro paraît le 1er février 1909, sans Montfort.

En 1911, Gaston Gallimard devient l'éditeur de la revue. Dès lors, elle paraît régulièrement et devient une revue de référence.

Elle publie Alain-Fournier, Guillaume Apollinaire, Marcel Proust, Paul Valéry, André Malraux, Jean-Paul Sartre...

La publication de la *NRF* s'interrompt plusieurs fois pendant les deux Guerres mondiales. Elle ne reprend définitivement qu'en janvier 1953, pour devenir l'actuelle revue trimestrielle.

Aujourd'hui, chaque numéro met à l'honneur un grand auteur, à travers des textes inédits. Ces dernières années, des numéros ont été consacrés à la littérature cubaine, nord-américaine, africaine, mexicaine...

La *NRF*. apprécie l'insolence. C'est le lieu d'expression d'inconnus qui seront peut-être les talents de demain. L'éditeur se considère toujours comme un explorateur, un découvreur.

1 ☐ La *Nouvelle Revue Française* est une revue uniquement littéraire.

2 ☐ La *Nouvelle Revue Française* est fondée en 1908.

3 ☐ André Gide participe au premier numéro.

4 ☐ En 1911, Gallimard devient l'éditeur de la *Nouvelle Revue Française*.

5 ☐ Pendant la première Guerre mondiale la *Nouvelle Revue Française* continue à publier.

6 ☐ La publication reprend en 1963.

7 ☐ Aujourd'hui, la revue est trimestrielle.

8 ☐ L'éditeur de la revue se considère comme un découvreur.

9 ☐ La *Nouvelle Revue Française* aujourd'hui ne publie que des auteurs connus.

Chapitre 1

Le pensionnaire

▶ 2 Il est arrivé chez nous un dimanche de 189…

J'avais 15 ans et ça faisait déjà 10 ans que nous habitions dans
l'école de Sainte-Agathe. Mon père enseignait au Cours Moyen et
au Cours Supérieur, où il nous préparait pour devenir instituteurs*.
Je l'appelais « Monsieur Seurel », comme tous les autres élèves. Ma
mère, que nous appelions « Millie », faisait la petite classe.

La maison, située à l'extrémité du village, était rouge avec des
portes vitrées* sous des vignes vierges*. Il y avait une grande cour
et un préau*. C'est dans cette demeure que j'ai passé les jours les
plus tourmentés et les plus chers de ma vie. C'est ici que l'aventure a
commencé.

C'était le mois de novembre, le premier jour d'automne qui
ressemblait à l'hiver. J'étais en train de rentrer à la maison, quand j'ai
remarqué qu'il se passait quelque chose chez nous. La grille du jardin
était ouverte et une femme aux cheveux gris, maigre et inquiète,
regardait par la fenêtre de la salle à manger. Tout en frappant à la
fenêtre, elle parlait seule :

– Mais où est-il passé ? Il était avec moi tout à l'heure.

Ma mère n'avait pas entendu que quelqu'un était arrivé. C'est donc
moi qui ai fait entrer la visiteuse. Elle venait de La Ferté-d'Angillon,
à quatorze kilomètres de Sainte-Agathe. Avec un air hautain* et

---

instituteurs enseignants de l'école primaire
des portes vitrées des portes en verre
des vignes vierges des plantes grimpantes ornementales

un préau espace couvert d'une cour d'école
hautain fier, superbe

mystérieux, elle nous a raconté qu'elle était veuve et riche, qu'elle avait perdu son fils cadet*, et qu'elle avait décidé de mettre son aîné*, Augustin, en pension chez nous pour qu'il suive le Cours Supérieur.

Tandis que Mme Meaulnes parlait, ma mère lui a fait signe de se taire. En effet, au-dessus de nos têtes, dans une pièce qui contenait les anciens feux d'artifice du dernier 14 Juillet, on entendait des bruits de pas.

– Tout à l'heure, je croyais que c'était toi, François…, m'a dit Millie.

C'est alors que quelqu'un est descendu de l'étage. Un grand garçon s'est présenté devant nous. C'était Augustin Meaulnes. Il avait environ 17 ans. En souriant, il m'a tout de suite dit :

– Tu viens ?

Sans hésiter et sans demander l'autorisation à ma mère, je l'ai suivi dans la cour. Il tenait dans sa main une petite roue en bois noirci, un reste de feu d'artifice.

– Nous allons l'allumer, a dit Meaulnes.

Il portait une blouse d'écolier et, quand il a enlevé son chapeau, j'ai vu qu'il avait les cheveux très courts comme un paysan. Il avait des allumettes, ce qui m'a surpris, car c'était interdit chez nous. Il a mis le feu et deux jets d'étoiles rouges et blanches sont partis.

Pendant ce temps, ma mère fixait le prix de la pension avec sa mère.

Le soir même, nous étions quatre à table. Mon nouveau compagnon est resté silencieux pendant tout le dîner.

J'avais toujours été un garçon solitaire et timide à cause d'un problème à la jambe. Lorsque les cours finissaient, à quatre heures, une longue soirée de solitude commençait pour moi. Je restais au fond de la Mairie à lire tant que durait le jour. Je rentrais quand la nuit tombait

cadet deuxième enfant d'une fratrie
aîné premier enfant d'une fratrie

et que ma mère commençait à préparer le repas dans la cuisine. Mais quelqu'un a bouleversé* cet ordre et ce bonheur simple et familial. Ce quelqu'un, c'était Augustin Meaulnes.

Bientôt à l'école, tout le monde l'a appelé « le grand Meaulnes ». En effet, dès qu'il est arrivé, la vie à l'école a changé. Désormais, tous les élèves restaient après les cours et se rassemblaient autour de lui. Nous discutions et nous nous disputions aussi. Il parlait peu, mais riait beaucoup. Et quand la nuit tombait, nous allions dans une boutique du village pour continuer nos bavardages*.

Un peu avant Noël, après une journée ennuyeuse, M. Seurel a demandé aux élèves :

– Qui ira demain avec François chercher M. et Mme Charpentier ?

C'étaient mes grands-parents. Tous les ans, avant Noël, nous allions les attendre à la gare. Ils arrivaient avec pleins de bons mets* pour les fêtes. Leur venue était synonyme de grande semaine. Leur arrivée me réjouissait.

Un camarade de classe m'accompagnait toujours en voiture*. Nous devions arriver à la gare à quatre heures. De nombreux compagnons de classe voulaient venir avec moi et la question de M. Seurel provoquait toujours une grande excitation dans la salle. Ce jour-là, plusieurs voix ont crié :

– Le grand Meaulnes ! Le grand Meaulnes !

Comme M. Seurel ne répondait pas, quelqu'un a dit :

– Jasmin Delouche !

Mais, cette fois, M. Seurel a choisi Mouchebœuf. Moi, j'aurais aimé que Meaulnes m'accompagne.

La vieille au soir du départ, j'étais avec lui chez le maréchal-ferrant*.

bouleversé modifié
nos bavardages notre conversation
mets aliments

voiture ici, véhicule de transport sur roues tiré par un cheval
le maréchal-ferrant l'artisan qui ferre les chevaux

12

Je devais prendre la jument de M. Martin, mais un des ouvriers de la boutique a expliqué que celle de M. Fromentin était bien plus rapide et surtout qu'il la prêtait facilement. Meaulnes écoutait, perdu dans ses réflexions. Il avait peut-être déjà imaginé sa fuite.

Le lendemain après-midi, les élèves de la classe étaient agités. Même M. Seurel ne faisait pas attention à tout ce remue-ménage*. Moi seul, je me taisais. Je m'étais rendu compte que Meaulnes n'était pas rentré après la récréation. M. Seurel n'avait rien vu encore, car il écrivait au tableau.

Moi, je savais qu'il était parti. Ou plutôt, je le soupçonnais* de s'être échappé. Il avait sûrement été à la ferme de la Belle-Étoile pour demander la jument de M. Fromentin et aller chercher M. et Mme Charpentier. Je regardais par la fenêtre et je voyais que l'on faisait atteler la jument* à la ferme. Mais, je ne disais rien. J'attendais et j'espérais. Tout à coup, en effet, je l'ai reconnu de loin : il sortait de la ferme lentement. Deux hommes au portail le regardaient. Quand un des deux s'est décidé à l'appeler, Meaulnes a changé d'attitude et est parti très vite. Il a disparu de l'autre côté de la montée. Les deux hommes se sont mis à lui courir derrière.

Pendant ce temps, M. Seurel avait fini d'écrire au tableau et trois voix au fond de la classe se sont mises à crier :

– Monsieur ! Le grand Meaulnes est parti !

À ce moment, un des hommes de la ferme est entré dans la salle et a demandé :

– Excusez-moi, Monsieur. C'est vous qui avez autorisé cet élève à demander la voiture pour aller à Vierzon chercher vos parents ? Nous avons des doutes…

---

ce remue-ménage cette agitation bruyante
je le soupçonnais je le présumais, je l'imaginais
atteler la jument préparer la jument pour partir

– Mais, pas du tout ! a répondu M. Seurel.

Toute la classe s'est mise à pousser des cris. Certains élèves sont sortis pour voir. Mais, il était trop tard. Meaulnes s'était évadé !

– Tu iras quand même à la gare avec Mouchebœuf, m'a dit mon père ; Meaulnes ne connaît pas le chemin, il va se perdre et ne sera pas à l'heure.

Je suis allé chercher mes grands-parents. Dans le village, tout le monde se posait des questions.

Pendant le dîner, je n'ai pas écouté ce qu'ils ont raconté. Mes oreilles étaient tendues vers les bruits de l'extérieur. J'attendais le retour de Meaulnes. Mais rien. J'avais demandé à ma grand-mère si elle avait vu à la gare un garçon ressemblant au grand Meaulnes, mais non, elle n'avait vu personne.

C'était l'heure d'aller se coucher, quand nous avons entendu un bruit de voitures à l'extérieur. Un homme nous a demandé :

– Pourriez-vous m'indiquer M. Fromentin, s'il vous plaît ? J'ai trouvé sa voiture et sa jument qui s'en allaient sans conducteur, le long d'un chemin. Je les ramène.

Nous étions tous très surpris. L'homme a continué à parler :

– Il n'y a pas de trace de voyageur. Il n'y a même pas une couverture. La bête est fatiguée : elle boite* un peu.

Nous avons dit à l'homme que nous nous occupions de ramener l'attelage*. Nous avons alors décidé de donner à tout le monde la même explication : Meaulnes était chez sa mère. Nous avons gardé notre inquiétude pour nous pendant trois jours. Mon père était en colère. ▪

---

boite marchait mal, en inclinant le corps d'un côté
l'attelage ici, la voiture et la jument

LE PENSIONNAIRE
Meaulnes va vite et fouette son cheval.
Il veut aller à Vierzon chercher M. et Mme. Charpentier.

Compréhension

1 **Coche si les affirmations sont vraies (V) ou fausses (F).**

	V	F
Le narrateur s'appelle François.	☑	☐
1 Le narrateur veut devenir instituteur.	☐	☐
2 Millie est couturière.	☐	☐
3 Meaulnes arrive en hiver.	☐	☐
4 Meaulnes arrive avec son frère.	☐	☐
5 Meaulnes trouve un feu d'artifice.	☐	☐
6 L'arrivée de Meaulnes change la vie de l'école.	☐	☐

2 **Complète les phrases avec la bonne solution.**

François a ...
- **a** ☐ 10 ans.
- **b** ☑ 15 ans.
- **c** ☐ 17 ans.

1 François doit aller à la gare chercher ...
- **a** ☐ la mère de Meaulnes.
- **b** ☐ ses grands-parents.
- **c** ☐ son oncle.

2 M. Seurel décide que François sera accompagné par ...
- **a** ☐ Mouchebœuf.
- **b** ☐ Meaulnes.
- **c** ☐ Jasmin Delouche.

3 Meaulnes n'est pas revenu en classe ...
- **a** ☐ le matin.
- **b** ☐ après la récréation.
- **c** ☐ l'après-midi.

4 Un homme ramène chez la famille Seurel ...
- **a** ☐ Meaulnes.
- **b** ☐ un cheval seul.
- **c** ☐ la voiture et la jument de M. Fromentin.

3 Complète la description des personnages à l'aide des mots donnés.

cheveux • gris • aîné • dix-sept • maigre • ~~Augustin~~

Le prénom de Meaulnes est (0) ......*Augustin*...... .
Il a (1) .... ans quand il arrive. Il a les (2) ....
courts. C'est le fils (3) .... de Mme Meaulnes. Celle-ci a
les cheveux (4) .... et elle est (5) ....

Vocabulaire

4 Attribue à chacun les adjectifs correspondants et accorde-les.

	Augustin Meaulnes	François Seurel	Mme Meaulnes
mystérieux			
solitaire			
pensif			
hautain			
timide			
riche			
peu bavard			
veuf			
souriant	✓		

Augustin Meaulnes est ....*souriant*...........................
François Seurel est ....
Mme Meaulnes est ....

DELF - Production écrite

5 Décris-toi physiquement et donne tes traits de caractères principaux. (max. 80 mots)

....
....
....
....
....

Grammaire

6 **Transforme le passage suivant au présent de l'indicatif.**

Ma mère n'avait pas entendu que quelqu'un était arrivé. C'est donc moi qui ai fait entrer la visiteuse. Elle venait de La Ferté-d'Angillon, à quatorze kilomètres de Sainte-Agathe. Avec un air hautain et mystérieux, elle nous a raconté qu'elle était veuve et riche, qu'elle avait perdu son fils cadet, et qu'elle avait décidé de mettre son aîné, Augustin, en pension chez nous pour qu'il suive le Cours Supérieur. Tandis que Mme Meaulnes parlait, ma mère lui a fait signe de se taire. En effet, au-dessus de nos têtes, dans une pièce qui contenait les anciens feux d'artifice du dernier 14 Juillet, on entendait des bruits de pas.

Ma mère n'entend pas que quelqu'un arrive ....
....
....
....
....
....
....
....
....
....
....
....
....
....
....
....
....
....
....
....
....
....

Vocabulaire

7 **Associe chaque mot à sa définition.**

jaloux • irritable • assuré • tranquille • curieux • ~~fatigué~~ • affamé
gêné • malin • émerveillé • furieux • agressif • âgé

........*fatigué*........ : qui est faible, épuisé à la suite d'un effort.

1 .... : qui réagit de manière négative.

2 .... : qui a très faim.

3 .... : qui est étonné, stupéfait.

4 .... : qui est interrogateur.

5 .... : qui est violent.

6 .... : qui est sûr de lui.

7 .... : qui a un âge avancé.

8 .... : qui éprouve un malaise, qui est dans une situation embarrassante.

9 .... : qui n'est pas content.

10 .... : qui éprouve de l'envie pour ce qu'un autre possède.

11 .... : qui est paisible.

12 .... : qui est malicieux.

Chapitre 2

Le gilet de soie

▶ 3 Le quatrième jour d'absence de Meaulnes était un jour glacial. Les paysages étaient blancs et tout était gelé. Les camarades qui arrivaient de la campagne se précipitaient sur le poêle* pour se réchauffer.

Tout à coup, quelqu'un a frappé contre la porte. Tous les élèves ont levé la tête de leurs cahiers et nous avons vu le grand Meaulnes. Il était de retour.

Il est rentré dans la classe. Sa blouse était pleine de givre* et des brindilles* de paille étaient accrochées à ses vêtements. Il avait l'air très fatigué et affamé, mais émerveillé. Je me souviens que je le trouvais très beau, malgré son air épuisé et ses yeux rougis.

Il nous a réveillés de notre torpeur* : maintenant, nous étions tous très curieux de savoir ce qui lui était arrivé. Il s'est approché de M. Seurel d'un air agressif et, sur un ton très assuré, a dit simplement :

– Je suis rentré, Monsieur.

– Je vois. Allez vous asseoir ! a répondu le maître. Vous allez prendre un livre pendant que vos compagnons finiront la dictée.

Meaulnes s'est retourné vers nous, le dos un peu courbé*, souriant d'un air moqueur*, comme font les grands élèves indisciplinés* lorsqu'ils sont punis, et il s'est laissé glisser sur son banc.

La classe a repris comme avant. Je voyais que les yeux de Meaulnes se fermaient et, au bout d'un moment, il a demandé :

le poêle l'appareil de chauffage	**courbé** penché en avant
pleine de givre couverte d'une petite couche de glace	**un air moqueur** qui rit
brindilles petite branches	**indiscipliné** qui refuse la discipline
torpeur inactivité, demi-sommeil	

– Monsieur, je voudrais aller me coucher. Voilà trois nuits que je ne dors pas.

– Allez-y ! a répondu mon père.

Tout le monde l'a regardé sortir.

À midi, à table, nous avons décidé de ne pas poser de question, mais nous étions tous gênés. Augustin n'a pas dit un mot. Une fois le dessert terminé, je suis sorti dans la cour avec lui. Tout de suite, des garçons de l'école sont venus vers nous en criant. Cependant, mon ami ne voulait parler à personne et nous nous sommes enfermés dans une salle de classe. Dehors, les autres étaient furieux et nous lançaient des injures.

Pendant que je me réchauffais près du poêle, Augustin étudiait un petit atlas* trouvé dans le bureau du maître. Je voulais le rejoindre et regarder avec lui le trajet qu'il avait fait, quand, dans un grand bruit, la porte s'est ouverte : Jasmin Delouche et les quatre garçons qui l'accompagnaient avaient réussi à entrer.

Jasmin était un des élèves les plus âgés du Cours Supérieur. Il était très jaloux du grand Meaulnes : avant son arrivée, c'était lui le « chef » de la classe. Il avait le visage pâle et les cheveux gominés*. Il était fils unique et se prenait pour un homme : il répétait ce qu'il entendait dire au bar du village.

Meaulnes était très fatigué et très irritable. À l'entrée de nos camarades de classe, il a dit :

– On ne peut pas être tranquille une minute, ici !

– Si tu n'es pas content, il fallait rester où tu étais, lui a répondu Delouche.

– Sors d'ici ! a crié Augustin énervé.

– Oh ! Tu crois que parce que tu es resté trois jours dehors, tu es le maître maintenant ?! Tu ne nous feras pas sortir, tu sais !

---

un atlas un livre de cartes géographiques
les cheveux gominés les cheveux avec de la pommade

La dispute a commencé comme ça. Les deux se sont attrapés par les vêtements et se sont poussés violemment. Meaulnes allait jeter dehors Delouche, quand M. Seurel est entré dans la pièce. La bataille s'est aussitôt arrêtée et chacun a repris sa place :

– Tu fais le malin maintenant ! Tu crois qu'on ne sait pas où tu étais ! a continué Jasmin.

– Imbécile ! Je ne le sais pas moi-même.

Le grand Meaulnes a alors repris ses livres et a continué à étudier ses leçons.

Je partageais ma chambre avec Meaulnes. C'était une grande mansarde sous les toits. Il faisait très froid à cause des courants d'air.

Ce soir-là, je m'étais très vite déshabillé et j'étais déjà dans mon lit, tandis que mon compagnon enlevait ses vêtements lentement. La bougie allumée jetait sur le mur son ombre gigantesque. Je le regardais faire. Il marchait de long en large dans la pièce. Il était pensif et rêveur. Il pliait et rangeait avec soin ses habits d'écolier. J'ai vu que sa blouse noire était très sale et froissée* et surtout j'ai découvert qu'il portait, au lieu du petit gilet de l'uniforme, un étrange gilet de soie. Ce dernier était très ouvert avec des petits boutons de nacre. Ce vêtement de marquis devait dater de l'époque de nos grands-mères, vers 1830. Il était très étrange de voir mon ami dans cette tenue, en pantalon court d'écolier et chaussures pleines de boue, avec cet habit d'un autre temps, d'un autre monde. J'ai eu un peu envie de rire, de me moquer de lui et j'ai dit :

– Dis-moi ce que c'est ! Où tu l'as pris ?

Mais Meaulnes s'est rassis sur son lit et s'est couché sans dire un mot. Je n'ai rien ajouté et me suis endormi.

froissée chiffonnée, avec des faux plis

LE GILET DE SOIE

Dans la mansarde de la maison, François est couché
et Meaulnes se déshabille : on voit qu'il porte un gilet de soie.

Au milieu de la nuit, je me suis réveillé. Meaulnes était debout et marchait dans la chambre. Il portait sa casquette et cherchait son manteau. Dehors, un vent glacé soufflait. Je lui ai demandé :

– Meaulnes ! Tu repars ?

Comme il ne répondait pas, j'ai continué :

– Eh bien, je pars avec toi. Il faut que tu m'emmènes.

Meaulnes m'a alors pris par le bras et m'a expliqué :

– Non, François, je ne peux pas t'emmener. Si je connaissais bien mon chemin, tu m'accompagnerais. Mais, il faut que je le retrouve sur le plan et je n'y arrive pas.

– Alors, tu ne peux pas partir, toi non plus.

– C'est vrai, tu as raison. Tout cela est inutile. Recouche-toi !

– Et toi ? Je veux venir avec toi.

– Ça va. Je te promets de ne pas partir sans toi.

À partir de cette nuit-là, je l'ai souvent vu vers une heure du matin marcher dans la chambre. Il mettait son manteau et était à chaque fois prêt à repartir vers ce pays mystérieux. Et puis, il hésitait, pour finalement rester. Il continuait à réfléchir.

Désormais, Meaulnes ne jouait plus avec ses anciens camarades de classe. Il était bien trop occupé à établir un plan, à calculer, à chercher un lieu mystérieux sur une carte. Je ne savais pas ce qu'il cherchait. Un jour, durant la récréation, alors que mon camarade travaillait ainsi très concentré sur son atlas du Cher*, deux gamins* sont venus derrière lui pour regarder par-dessus son épaule. Il s'est mis en colère. Un des garçons lui a crié :

– De toute façon, ils sont tous contre toi maintenant ! Ils veulent te faire la guerre !

Le garçon criait des injures et nous lui répondions sans comprendre

---

Cher département au centre de la France traversé par le fleuve Cher

gamins garçons [langage familier]

vraiment de quoi il parlait. Je défendais Meaulnes. Maintenant, il était mon ami. Il y avait comme un pacte entre nous : la promesse qu'il m'avait faite de m'emmener avec lui me liait à lui pour toujours. Je pensais sans cesse à son voyage mystérieux et j'étais certain qu'il avait rencontré une jeune fille. Seule une jeune fille pouvait mettre un jeune homme dans cet état. J'imaginais que cette demoiselle devait être plus belle que toutes les filles du village, plus belle que Jeanne, qu'on apercevait dans le jardin des religieuses par le trou de la serrure ; plus belle que Madeleine , la fille du boulanger, toute rose et toute blonde. Il devait penser à cette mistérieuse demoiselle la nuit dans la chambre, comme dans les histoires romantiques… Je voulais lui en parler.

Le soir de cette bataille, nous étions tous les deux en train de ranger des outils dans le jardin, lorsqu'une bande de jeunes est passée : il y avait Delouche, Giraudat, Daniel et un garçon inconnu de nous. Ils nous criaient dessus. Nous avons compris alors que tous les jeunes du village étaient vraiment contre nous. C'est cette nuit-là que Meaulnes m'a réveillé et m'a dit :

– Réveille-toi ! Nous partons !

– Tu connais le chemin jusqu'au bout ?

– J'en connais une bonne partie. Et nous trouverons la suite.

– Écoute, Meaulnes, nous devrions plutôt continuer à chercher tous les deux en plein jour.

– Mais, la partie qui manque est très loin.

– Eh bien, nous irons en voiture cet été.

Meaulnes n'a pas répondu, ce qui voulait dire qu'il acceptait.

J'ai osé dire :

– Puisque nous allons ensemble chercher la jeune fille que tu aimes, parle-moi d'elle, dis-moi qui c'est. Comment est-elle ?

C'est alors que mon ami s'est assis : il a respiré profondément, comme quelqu'un qui va enfin confier un secret.

Il ne m'a pas raconté toute son aventure cette nuit-là. Son récit s'est fait en plusieurs étapes et chaque fois dans la détresse*. Cette histoire est restée le grand secret de nos adolescences. ■

dans la détresse dans une situation de danger

Compréhension

1 **Complète les phrases avec la bonne solution.**

Meaulnes revient après ...
- **a** ☐ trois jours d'absence.
- **b** ☑ quatre jours d'absence.
- **c** ☐ une semaine d'absence.

1 Meaulnes arrive ...
- **a** ☐ émerveillé et en forme.
- **b** ☐ curieux et fatigué.
- **c** ☐ fatigué et affamé.

2 Dès que Meaulnes arrive, il souhaite ...
- **a** ☐ manger.
- **b** ☐ se coucher.
- **c** ☐ parler.

3 Delouche est ...
- **a** ☐ l'ami de Meaulnes.
- **b** ☐ furieux contre Meaulnes.
- **c** ☐ jaloux de Meaulnes.

4 Meaulnes porte ...
- **a** ☐ un gilet de soie.
- **b** ☐ une blouse de soie.
- **c** ☐ un nouveau chapeau.

5 Meaulnes prépare ...
- **a** ☐ un piège.
- **b** ☐ un plan pour repartir.
- **c** ☐ un secret.

Vocabulaire

2 **Retrouve les mots.**

EOLBUS : .... *blouse* ....

1 TILEG : ....

2 NOANTALP : ....

3 HASUSUCRE : ....

4 TECUQETAS : ....

5 NEUMATA : ....

3 Associe les vêtements et les accessoires aux matières.

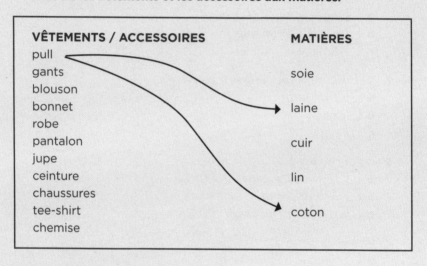

VÊTEMENTS / ACCESSOIRES   MATIÈRES

pull

gants   soie

blouson

bonnet   laine

robe

pantalon   cuir

jupe

ceinture   lin

chaussures

tee-shirt   coton

chemise

DELF - Production orale

4 **Décris comment tu es habillé(e) aujourd'hui.**

....

....

....

....

Grammaire

5 **Complète les phrases avec le pronom relatif *qui, que* ou *qu'*.**

Je voyais .....*que*...... Meaulnes était fatigué.

1 Je voulais chercher avec lui le chemin .... il avait fait.

2 Delouche, ... était jaloux de Meaulnes, voulait entrer.

3 Il répétait ce .... les hommes du village racontaient.

4 Tu penses .... tu es plus fort que nous ?

5 Delouche était un garçon .... se prenait pour un homme.

6 Le gilet .... mon ami portait était en soie.

7 Il faut .... je cherche encore.

8 J'ai compris .... tout le monde nous détestait.

6 **Le conditionnel présent se forme sur la racine des verbes au futur. Trouve le conditionnel présent des verbes suivants.**

FUTUR		CONDITIONNEL
elle arrivera		*elle arriverait*
il aura	1	....
je questionnerai	2	....
nous vendrons	3	....
vous louerez	4	....
on verra	5	....
tu seras	6	....
il cherchera	7	....
je souhaiterai	8	....
tu descendras	9	....

Compréhension

7 **Lis les textes et coche si les affirmations sont vraies (V) ou fausses (F).**

Histoire de la mode

La Révolution de 1789 libère la France de la Monarchie, mais modifie aussi les habitudes vestimentaires. Les révolutionnaires issus du peuple travailleur refusent de porter des bas et introduisent les pantalons et les vestes courtes, d'où leur nom de « sans-culottes ».

Avec Napoléon Ier, la mode imite l'Antiquité.

La Grande-Bretagne influence la mode avec des éléments comme le spencer (veste courte croisée) et la redingote (veste longue croisée).

Le pantalon remplace définitivement la culotte et les bas pour les hommes. Les femmes remettent la ceinture à la taille.

Tout le monde a un médaillon, un bijou où se cachent un portrait ou une devise et qui prend alors une valeur sentimentale.

À la Belle Époque, c'est la mode des moustaches et des barbes pour les hommes. Les femmes doivent avoir un corset ou une guêpière pour faire ressortir la poitrine et accentuer une silhouette en S. On voit apparaître les premiers manteaux de fourrure. C'est l'apogée des éventails, des manches gigot (très amples du haut et ajustées sur l'avant-bras), des chapeaux volumineux pour les femmes et des chapeaux cylindriques, appelés hauts-de-formes, pour les hommes.

Dès les années 1910, la silhouette féminine s'allonge de nouveau, mais le bas des jupes est resserré, ce qui oblige les femmes à faire des petits pas.

La première Guerre Mondiale paralyse le monde de la mode, mais apporte des sous-vêtements plus confortables. Le travail des femmes et le sport transforment les vêtements.

Chanel

La Maison Chanel ouvre sa première boutique à Paris en 1909.
Au départ, c'était un magasin de chapeaux. Gabrielle Chanel
(1883-1971) dite « Coco Chanel » développe rapidement ses
activités. Elle participe à la révolution de la haute couture en
voulant émanciper la femme : elle supprime le corset et place
le confort avant tout. Ses tenues sont élégantes, pratiques et
sobres. Elle utilise des tissus légers comme le jersey.
Après la première Guerre Mondiale, Coco Chanel masculinise
la femme. Ce sont les Années folles ! Cheveux courts, pantalons
et bijoux fantaisies sont les nouveaux accessoires de la femme
moderne.

		V	F
	Au temps de la Monarchie, les hommes portent des pantalons.	☐	☑
1	Les sans-culottes refusent les bas.	☐	☐
2	Sous Napoléon Ier, la mode imite les grecs et les romains.	☐	☐
3	Le spencer et la redingote sont des pantalons.	☐	☐
4	La moustache est à la mode à la Belle Époque.	☐	☐
5	Le haut-de-forme est un chapeau.	☐	☐
6	En 1910, les femmes portent des pantalons.	☐	☐
7	La première Guerre Mondiale transforme la mode.	☐	☐
8	Chanel ouvre sa première boutique après la guerre.	☐	☐
9	Coco est le vrai nom de Chanel.	☐	☐
10	Coco Chanel supprime le corset.	☐	☐
11	Coco Chanel veut émanciper la femme.	☐	☐
12	Les années folles correspondent à l'après guerre.	☐	☐

Chapitre 3

Une fête étrange

4 Voici l'étrange aventure que Meaulnes a vécue et qu'il m'a racontée comme un secret.

Lorsqu'il a pris la voiture ce jour-là, son but était simplement de nous faire une surprise : il voulait ramener mon grand-père et ma grand-mère de la gare.

Il allait très vite sur la route car il avait peur d'être en retard. Il est arrivé dans un village appelé La Motte. Les rues étaient désertes. À la sortie du bourg, il y avait deux directions, mais personne pour le renseigner sur le chemin à prendre pour aller à Vierzon. Il a choisi d'aller à gauche.

La route était étroite et il faisait froid. Meaulnes s'est enroulé* dans la couverture et s'est endormi : il a dû dormir sûrement pendant un long moment. C'est le froid qui traversait la couverture qui l'a réveillé : il s'est alors aperçu que le paysage avait changé. Il passait maintenant à côté de prés petits et encore verts avec de hautes clôtures. Il voyait aussi de l'eau couler sous la glace, ce qui lui a fait imaginer qu'il y avait une rivière non loin. À ce niveau, la route était en très mauvais état. La jument marchait lentement et boitait*. Meaulnes est descendu de la voiture, très inquiet. Il pensait :

– Jamais je ne serai à l'heure pour arriver à Vierzon.

Mais au fond de lui, il avait peur d'admettre qu'il s'était trompé de

s'est enroulé s'est mis
boitait marchait mal, en inclinant le corps d'un côté

chemin. La jument avait un caillou* coincé dans le sabot*. Meaulnes a eu beaucoup de mal à attraper le pied de la bête pour essayer de l'enlever. Avec de la patience, il a finalement réussi, mais quand il a levé la tête, la nuit tombait.

Il aurait pu et dû rebrousser chemin*, mais il pensait encore bien arriver quelque part. Il a fait repartir la jument au trot. Il faisait complètement nuit quand il a pensé à nous, à Sainte-Agathe, dans la salle à manger : il a d'abord ressenti de la colère, puis une profonde joie de s'être évadé sans l'avoir voulu.

Soudain, la jument a ralenti : il y avait une rivière. Meaulnes, une fois arrêté, a aperçu au loin, entre les branches, une lumière. Il a alors calmé la jument et l'a laissée avec la couverture sur le dos dans un petit pré. La lumière venait d'une maison isolée. Pour l'atteindre, le chemin était plus long que prévu : trois prés à traverser, un ruisseau à enjamber*, un talus* à escalader pour arriver dans une cour avec un cochon et un chien qui a aboyé en entendant Meaulnes.

Le volet* de la porte étant ouvert, Augustin a pu voir à l'intérieur qu'il y avait un feu dans la cheminée. Une femme dans la maison l'a aperçu et a ouvert la porte. Mon ami s'est excusé du dérangement et a demandé si le patron de la maison était là. La paysanne a répondu qu'il allait bientôt revenir. Meaulnes savait qu'il faut être discret chez les gens de la campagne et ne pas montrer que l'on n'est pas du pays. C'est pourquoi, il a dit qu'il était avec un groupe de chasseurs et qu'ils voulaient un peu de pain. La femme lui a alors répondu qu'elle n'en avait pas, car le boulanger n'était pas passé. Cette information a inquiété Meaulnes, qui a demandé :

– Le boulanger de quel pays ?

– Et bien, le boulanger du Vieux-Nançay.

---

un caillou une petite pierre
le sabot la partie située au bas de la patte, sur laquelle marche le cheval
rebrousser chemin revenir en arrière

enjamber passer par dessus
un talus un terrain en pente
le volet le panneau qui sert à protéger les vitres et à cacher la lumière de l'extérieur

– C'est le village le plus proche ? Il se trouve à combien de distance d'ici ?

– Je ne sais pas… Le village le plus proche est Les Landes, à cinq kilomètres, mais il n'y a pas de marchand.

Meaulnes n'avait jamais entendu ces noms. Il était vraiment perdu et la femme a alors compris :

– Mais, vous n'êtes pas d'ici, vous.

Le paysan est arrivé à ce moment-là. Il a proposé à Meaulnes de se réchauffer près du feu et lui a donné un bol de lait avec du pain.

Augustin a demandé son chemin pour retourner à La Motte et a ainsi dû dire la vérité : il s'était perdu. Ces gentils paysans ont proposé qu'il reste pour la nuit et Meaulnes a accepté. Il devait juste chercher sa jument restée dans le pré. Il avait peur de se perdre de nouveau, cependant, il n'a pas osé demander à l'homme de l'accompagner et il est reparti tout seul dans la nuit.

Quand, avec quelques difficultés, il est arrivé au pré où devait être la voiture, celle-ci n'y était plus. La couverture était par terre. Pensant pouvoir rattraper la bête, Meaulnes est parti en courant. Il courait, tombait, se blessait aux épines… Il ne s'est arrêté que lorsqu'il s'est fait mal au genou.

Il est retourné sur ses pas et a cherché le chemin de la petite maison. Voyant une lumière au bout d'une allée, il s'est engagé dans cette voie. Sans réfléchir, il a voulu prendre un raccourci* pour rejoindre au plus vite les paysans de tout à l'heure, mais les pistes se sont embrouillées*. Il était de nouveau perdu. Continuant un sentier, il est arrivé épuisé dans une prairie. Là, il y avait une bâtisse* abandonnée, sûrement pour le bétail. La fatigue était si grande que Meaulnes s'est endormi tout de suite sur la paille humide.

---

un raccourci un chemin plus court   **une bâtisse** une construction
se sont embrouillées se sont mélangées

Le lendemain matin, il est reparti. Il marchait très lentement car son genou le faisait souffrir. L'endroit était désolé et le froid était terrible. Il n'y avait rien ni personne.

Dans l'après-midi, il a vu au loin la flèche d'une tourelle★ et, sans se presser, il a continué son chemin dans cette direction. Ensuite, il a été pris d'une immense joie, comme s'il savait que son but était atteint. Il s'est aperçu tout de suite que le chemin avait été balayé comme on faisait chez lui les jours de fête. Il se demandait s'il y avait un bal quelque part dans cette solitude, quand il a entendu, puis vu, des enfants vêtus d'habits de fête :

– Si la glace fond, nous irons en bateau demain, disait un petit garçon.

– Mais, est-ce que nous aurons le droit ? demandait un autre.

– Tu sais bien que nous organisons la fête comme nous voulons !

– Et si Frantz rentre ce soir avec sa fiancée ?

– Eh bien, il fera ce que nous voudrons aussi.

Augustin pensait :

– Il s'agit sûrement d'une noce★, mais ce sont les enfants qui décident. Comme c'est étrange…

Meaulnes ne voulait pas effrayer les enfants : il était blessé et ses vêtements étaient déchirés. Il faisait peur. Cependant, il a continué à marcher et est arrivé dans une cour remplie de voitures de tous les genres. En face, il y avait un bâtiment avec une fenêtre ouverte, où il a décidé de dormir une nuit sans se faire voir. Ce n'était pas un grenier comme il l'avait imaginé : c'était une grande pièce, une chambre à coucher sans doute, car il y avait un lit. Des objets anciens étaient entassés★ sur une cheminée et sur tous les fauteuils de la pièce. Le lit aussi était recouvert de vieux livres et d'autres objets que mon ami a

la flèche d'une tourelle la pointe d'une petite tour
une noce une fête de mariage

entassés placés sans ordre les uns sur les autres

poussés afin de pouvoir s'allonger. Il voulait réfléchir, mais la fatigue était trop grande et il s'est endormi tout de suite.

Le froid et des voix l'ont réveillé. Deux hommes discutaient dans la pièce :

– Mets des lanternes vertes à la fenêtre. C'est la chambre de Wellington.

– Wellington, c'était un Américain ? Toi, le comédien qui a voyagé, tu dois le savoir.

– Oh ! Tu sais, j'ai voyagé en roulotte, donc je n'ai rien vu !

Ensuite, les deux inconnus ont parlé à Meaulnes :

– Monsieur l'Endormi, réveillez-vous ! Habillez-vous en marquis et descendez dîner ! C'est ce que veulent les jeunes gens en bas.

Meaulnes était étonné. Il a attendu que les deux hommes sortent de la pièce pour se lever du lit. Il se sentait reposé. L'idée d'aller dîner lui plaisait beaucoup. Il fallait qu'il s'habille et il y avait là un grand carton rempli de vêtements de jeunes gens d'il y a longtemps : redingotes*, gilets, cravates, souliers*... Le jeune homme a passé sur sa blouse d'écolier un grand manteau et échangé ses grosses chaussures de paysan pour des souliers vernis. En descendant, il a pu constater que la demeure était vieille et semblait un peu en ruine : il y avait des carreaux cassés aux vitres et il manquait des portes. Malgré cela, il régnait une atmosphère de fête. Partout des enfants couraient, jouaient, lisaient ou dansaient. C'est à un jeune garçon, que Meaulnes a demandé :

– Est-ce que l'on va bientôt dîner ?

– Viens avec nous, on va te conduire.

---

redingotes vestes longues
souliers chaussures

UNE FÊTE ÉTRANGE
Meaulnes est au milieu vêtu d'un grand manteau et de souliers vernis.
Un enfant lui donne la main et le tire pour le conduire à la salle du dîner.

Compréhension

1 **Réponds aux questions.**

Quel était le but de Meaulnes, quand il a pris la voiture ?
Il voulait faire une surprise : ramener les grands-parents
Charpentier

1 Pourquoi la jument boitait ?

....

2 Où arrive Meaulnes après avoir escaladé un talus ?

....

3 Que proposent les paysans ?

....

4 Pourquoi Meaulnes sort de chez eux ?

....

5 Où Meaulnes va-t-il dormir la première nuit ?

....

2 **Complète le résumé de la deuxième partie du chapitre à l'aide des mots suivants.**

genou • objets • chemin • marquis • vêtements •
lentement • enfants • blessé • hommes • dîner •
carton • fête • déchirés • tourelle

Meaulnes repart le lendemain. Il a mal au (0) ......*genou*...... et marche
(1) .... Il voit au loin la flèche d'une (2) ....
Le (3) .... est balayé comme pour une (4) ....
Des (5) .... discutent. Meaulnes a peur de les effrayer car
il est (6) .... et ses vêtements sont (7) .... La
pièce où il décide de passer la nuit est remplie d'(8) ....
Meaulnes est réveillé par deux (9) .... Ils lui disent de
s'habiller en (10) .... et d'aller (11) .... En effet,
un (12) .... est rempli de (13) .... Meaulnes s'habille
et découvre une maison à l'atmosphère de fête.

Vocabulaire

3 **Associe chaque mot à sa définition.**

> talus • ruisseau • sentier • prairie • ~~pré~~ • clôture • chemin • rivière

.... *pré* .... : terrain couvert d'herbe de manière permanente.

1 .... : qui entoure un lieu pour le fermer, le délimiter.

2 .... : petit cour d'eau peu profond.

3 .... : terrain couvert d'herbe pour l'alimentation des animaux.

4 .... : voie de terre pour mener à un lieu.

5 .... : cour d'eau de moyenne importance.

6 .... : chemin étroit dans la nature.

7 .... : terrain en pente.

DELF - Production écrite

4 **Où habites-tu ? En ville ou à la campagne ? Décris le paysage qui t'entoure en t'aidant du vocabulaire donné.**

> centre ville • village • banlieue • rue • chemin •
> rue piétonne • avenue • boulevard • commerces • cinéma •
> bibliothèque • église • école • fleurs • arbres • prairie •
> parc • place • bus • métro • voiture • vélo

....
....
....
....
....
....
....
....
....
....

Grammaire

5 **L'hypothèse au présent. Souligne la forme correcte de chaque verbe conjugué entre parenthèses.**

S'il (<u>fait</u>/fera) beau, nous (prenions/<u>prendrons</u>) le bateau.

1 Si Meaulnes (allait/va) à la gare avec François, il (arrivera/arrive) à l'heure.

2 Si Augustin (acceptera/accepte) l'invitation des paysans, il (dormira/dort) au chaud.

3 Si la jument ne (s'enfuit/s'enfuyait) pas, Meaulnes ne se (perdra/perd) pas.

4 Si Meaulnes (s'habillait/s'habille) en marquis, il (va/ira) dîner.

5 S'il (faisait/fait) froid, ils (feront/faisait) du feu.

6 S'il (voyage/voyagera), il (verra/voit) du pays.

7 S'il (demande/demandera) son chemin, il (rentrait/rentrera) à Sainte-Agathe.

6 **Conjugue les verbes entre parenthèses aux temps qui conviennent pour former des phrases hypothétiques à l'imparfait.**

Si nous (aller) .....*allions*........ vite, nous (finir) .....*finirions*..... nos devoirs plus tôt que les autres.

1 Si les enfants (s'amuser) .... beaucoup, nous (rester) .... jusqu'à ce soir.

2 Si le cheval (courir) .... vite, il (gagner) .... la course.

3 Si tu (laisser) .... le gâteau dans le four, il (être) .... trop cuit.

4 Si je (finir) .... mon travail, je (partir) .... en vacances.

5 Si les professeurs (être) .... d'accord, il y a (avoir) .... une fête à l'école.

6 Si tu (manger) .... trop de sucre, tu (grossir) ....

7 Si vous (faire) .... trop de sport, vous (être) .... fatigués.

7 Forme les phrases hypothétiques à partir des éléments donnés.
Emploie l'hypothèse au présent ou à l'imparfait.

réussir l'examen de français
Si je *réussis l'examen de français, je partirai en France pendant les vacances*

1 avoir un chien pour son anniversaire
Si je ....

2 pouvoir s'acheter un nouvel appareil photo
Si je ....

3 téléphoner tous les soirs
Si je ....

4 aller habiter à la campagne
Si je ....

5 devoir rester à la maison
Si je ....

ACTIVITÉ DE PRÉ-LECTURE

DELF – Compréhension orale

▶ 5 **8** Écoute le début du chapitre 4 et coche si les affirmations qui suivent sont vraies (V) ou fausses (F).

	V	F
Meaulnes arrive dans une grande salle et ne veut pas manger.	☐	☑
1 Frantz de Galais est le fils du château.	☐	☐
2 C'est le père de Frantz qui a organisé une fête surprise pour son fils.	☐	☐
3 Tout le monde connaît la fiancée de Frantz.	☐	☐
4 Meaulnes a peur d'être découvert.	☐	☐
5 Meaulnes se réfugie dans une pièce où une jeune femme joue du piano.	☐	☐

Chapitre 4

Rencontres

▶ 5 Meaulnes est arrivé dans une grande salle. Les gens semblaient ne pas se connaître. Il s'est installé à côté de deux vieilles paysannes pour manger : il avait très faim ! Les deux femmes discutaient près de lui :

– Les fiancés ne seront jamais là, demain, avant trois heures, c'est certain. Il faut une heure et demie de train pour aller de Bourges à Vierzon, et ensuite il y a sept lieues* de voiture de Vierzon à ici.

Meaulnes commençait à comprendre la situation : Frantz de Galais, le fils du château, était allé à Bourges pour chercher la jeune fille qu'il voulait épouser. Apparemment, c'était lui qui avait invité tous ces enfants et toutes ces personnes si originales. Il voulait que la maison ressemble à un palais en fête pour accueillir sa fiancée.

Meaulnes était curieux de savoir si elle était aussi belle qu'on le disait, mais personne ne l'avait encore vue.

– Frantz l'a rencontrée dans un jardin de Bourges, lui avait-on raconté. Il dit qu'elle est très jolie et il a voulu tout de suite l'épouser. C'est une histoire étrange, mais son père, M. de Galais, et sa sœur Yvonne lui accordent tout.

Après le dîner, la foule a commencé à danser et à jouer. Tout le monde courait derrière un Pierrot vêtu de blanc. Meaulnes, dans son costume*, s'est mis à profiter lui aussi de la fête. Par moments, il était angoissé que l'on découvre son identité. En allant se réfugier dans un

---

sept lieues environ vingt-huit kilomètres
costume vêtement pour homme constitué d'un pantalon et d'une veste

coin plus calme de la maison, il a entendu le son d'un piano au loin. Il s'est approché et est entré dans une pièce : là c'était toujours la fête, mais une fête pour des enfants plus petits. Certains feuilletaient* des albums, d'autres regardaient des images tout en écoutant la musique. Une femme ou une jeune fille tournait le dos. Elle portait un grand manteau marron et jouait des airs de rondes ou de chansonnettes. Meaulnes a pris un gros livre qu'il a commencé à lire : deux enfants sont tout de suite venus s'installer sur ses genoux pour regarder avec lui. Comme dans un rêve, il imaginait qu'il était dans sa maison, marié, un soir et que l'être charmant et inconnu qui jouait du piano était sa femme…

6 Le lendemain matin, Meaulnes était prêt très tôt. Il était habillé comme on le lui avait conseillé, avec un costume simple noir, un gilet et un chapeau haut de forme. Le pantalon élargi en bas cachait ses chaussures.

Il est descendu dans la cour : c'était une journée magnifique, comme un jour de printemps. Le soleil faisait fondre le givre et des oiseaux chantaient. Meaulnes voyait pour la première fois la propriété en plein jour. Le domaine était complètement caché par des bois de sapins sauf à l'est, où l'on apercevait des collines.

Il voulait savoir à quelle heure était le départ de la promenade en bateau dont on lui avait parlé la veille au soir. Il s'est rendu dans la salle du petit-déjeuner, mais il était le premier. Personne ne pouvait le renseigner et il est parti se promener en cherchant le lieu de l'embarcadère*. Tout à coup, deux femmes sont arrivées : une était très âgée avec le dos courbé et l'autre était une jeune fille blonde et élancée* avec un visage fin, des yeux bleus et un regard pur. C'est elle qui a parlé en premier :

---

feuilletaient tournaient les pages

le lieu de l'embarcadère le lieu de départ et d'arrivée du bateau

élancée mince et grande

– Le bateau va bientôt partir.

La jeune fille, qui portait une robe très simple, regardait Meaulnes et semblait dire :

– Qui êtes-vous ? Que faites-vous ici ? Je ne vous ai jamais vu et pourtant il me semble que je vous connais.

Entre temps, les invités sont arrivés. Trois bateaux ont embarqué tous les promeneurs. Il faisait froid malgré le soleil. Meaulnes s'est retrouvé sur le même bateau que la jeune fille et a pu l'observer.

Bientôt, ils sont arrivés au rivage. Les enfants sont partis en courant et des groupes se sont formés. Meaulnes s'est retrouvé très près de la jeune fille et lui a dit :

– Vous êtes belle.

Mais elle est vite partie sans répondre. Meaulnes s'est reproché de ne pas avoir été galant. Dès qu'il l'a recroisée, il lui a dit :

– Voulez-vous me pardonner ?

– Je vous pardonne, mais je dois rejoindre les enfants. Adieu.

Meaulnes essayait de la faire rester et lui parlait.

– Je ne sais même pas qui vous êtes, a-t-elle dit.

– Je ne connais pas votre nom non plus, a répondu Meaulnes.

– Voilà la maison de Frantz, a répliqué la jeune fille en montrant une maison isolée dans la campagne. Je dois vous quitter maintenant… Mon nom ? a-t-elle répété avant de disparaître. Je suis Yvonne de Galais…

Un déjeuner sur l'herbe avait été organisé et les bateaux allaient repartir. Dès que Meaulnes avait revu Yvonne, il s'était approché pour lui dire :

– Mon nom à moi est Augustin Meaulnes. Je suis étudiant.

RENCONTRES
Meaulnes rencontre Yvonne.

– Oh ! Vous étudiez ?

Et les deux jeunes gens avaient commencé une discussion. Ils parlaient amicalement.

Augustin avait osé lui demander la permission de revenir un jour et Yvonne avait répondu :

– Je vous attendrai.

Une fois arrivés près de l'embarcadère, Mlle de Galais avait changé d'attitude et dit :

– Ne montez pas dans le même bateau que moi, ne me suivez pas !

Au domaine, la dernière partie de la fête commençait : une course de poneys. Mais les fiancés n'arrivaient pas. Les invités sont alors rentrés inquiets et silencieux dans la demeure pour les attendre.

Meaulnes est remonté dans sa chambre, la tête pleine de tous les événements de cette journée extraordinaire. En attendant le dîner qui devait suivre, il rangeait ses affaires. La nuit tombait et le vent soufflait. Une porte battait dans la pièce à côté de la sienne et Meaulnes est allé la fermer. Mais, là, dans cette chambre, se trouvait un jeune homme qui marchait de long en large. Il portait encore son manteau. Il avait un visage très fin et des cheveux longs avec une raie de côté. Il cherchait du papier pour écrire. Il avait l'air nerveux. En voyant Meaulnes, le jeune homme a commencé à parler :

– Monsieur, je ne vous connais pas, mais je suis content de vous voir. Puisque vous êtes là, je vais vous expliquer.

Meaulnes avait compris que le jeune homme avait envie de pleurer.

– Voilà, la fête est finie ! Vous pouvez descendre leur dire. Je suis rentré seul, ma fiancée ne viendra pas. Je vais repartir. Dites qu'on ne me dérange pas.

Le jeune homme avait sorti des objets : une trousse de toilette et un pistolet. Meaulnes n'osait rien dire. Il est sorti de la pièce.

En bas, les invités avaient compris qu'il se passait quelque chose. Le dîner avait vite été servi et les gens se préparaient à partir. Oubliant de dire aux invités ce qu'il savait, Meaulnes est monté chercher ses affaires pour qu'on le raccompagne.

Dans l'escalier qui menait à sa chambre, Frantz de Galais l'a heurté en courant et lui a dit :

– Adieu, Monsieur !

Dans la chambre de Frantz, une bougie brûlait encore et une lettre laissée sur le bureau disait :

Ma fiancée a disparu, elle ne veut plus être ma femme. Elle dit qu'elle est couturière et non princesse. Je ne sais que devenir. Je m'en vais. Je n'ai plus envie de vivre. Qu'Yvonne me pardonne si je ne lui dis pas adieu, mais elle ne peut rien pour moi...

Meaulnes est retourné dans sa chambre. En se déshabillant pour remettre ses vêtements d'écolier, il s'est trompé de gilet. Dehors, les voitures se préparaient. Mon ami avait hâte* de partir maintenant.

– Puis-je monter dans votre voiture ? a-t-il demandé à un homme, je vais à Sainte-Agathe.

– Bien, venez !

Il regardait dehors par la vitre de la voiture. Malgré la nuit, il avait vu un éclair* et entendu une détonation*. Il voulait ouvrir la porte, mais ne le pouvait pas. Au loin, une forme blanche, le Pierrot de la fête, portait contre lui un corps.

La voiture avait laissé Meaulnes à six kilomètres de Sainte-Agathe. L'écolier épuisé revenait vers la réalité. ⬛

---

avait hâte était pressé
un éclair une lumière intense et brève

une détonation un bruit très violent provoqué par une explosion

Compréhension

1 **Réponds aux questions.**

Quel temps fait-il, le lendemain matin du dîner ?
Il fait très beau, comme un jour de printemps.

1 Quel est le programme de la matinée ?

2 Comment se poursuit la journée au domaine ?

3 Meaulnes, comment est-il habillé ?

4 Qui rencontre-t-il à l'embarcadère ?

5 Qui rencontre-t-il le soir dans sa chambre ?

6 Pourquoi la fête se termine tout à coup ?

2 **Coche la bonne réponse.**

Le lendemain, Meaulnes …
a ☑ est prêt très tôt.
b ☐ se lève tard.
c ☐ est fatigué.

1 Le domaine est …
a ☐ ouvert sur les champs.
b ☐ caché par des bois.
c ☐ situé sur une colline.

2 Yvonne accepte …
a ☐ de dîner avec Meaulnes.
b ☐ de prendre le bateau de retour avec Meaulnes.
c ☐ de revoir Meaulnes.

3 Le soir, au domaine …
a ☐ c'est la dernière partie de la fête.
b ☐ c'est le début de la fête.
c ☐ il n'y a plus de fête.

4 Finalement, Frantz de Galais a décidé …
a ☐ d'épouser sa fiancée un autre jour.
b ☐ de partir.
c ☐ de parler à sa sœur.

Vocabulaire

3 Complète la description d'Yvonne de Galais et celle de Frantz en cherchant le vocabulaire manquant dans le chapitre.

a Yvonne est une jeune fille .... et .... avec un visage .... et des yeux .... Elle porte une .... simple.

b Frantz est un jeune homme au .... fin et aux .... longs avec une .... de côté. Il porte un ....

4 Coche les adjectifs qui correspondent à Frantz de Galais.

☐ heureux ☐ triste ☐ joyeux ☐ fou
☐ amical ☐ nerveux ☐ bavard ☐ désespéré

DELF - Production orale

5 Un nouvel élève est arrivé en classe. Il a modifié les relations et la vie de ta classe. Raconte en 5 minutes.

Grammaire

6 Transforme les phrases au futur proche.

Le bateau part.
Le bateau va partir. ....

1 Il fait beau.
....

2 Meaulnes s'excuse auprès d'Yvonne.
....

3 Les fiancés n'arrivent pas.
....

4 Frantz écrit une lettre d'adieu.
....

5 La fête continue toute la nuit.
....

6 Augustin rentre en voiture.
....

7 Il arrive à Sainte-Agathe le matin très tôt.
....

7 Construit des phrases au futur proche avec les indications données.

Nous	aider	seul et triste
Un homme	écrire	à la fête à l'heure
La fiancée	arriver	une lettre à son fiancé pour tout lui expliquer
Augustin	se déguiser	en Pierrot
Le jeune homme	partir	à Sainte-Agathe parce que la fête est finie
Frantz	rentrer	une explosion
Je	entendre	mon ami

....
....
....
....
....
....
....

ACTIVITÉ DE PRÉ-LECTURE

Compréhension

8 Après avoir lu le texte page 51, complète cette petite description du cirque avec les mots donnés.

> itinérantes • magie • artistes • clowns •
> domptage • acrobaties • circulaire

Le cirque est un spectacle vivant populaire ayant lieu à l'intérieur d'une scène (0) ....*circulaire*........ qui lui doit son nom.
Les (1) .... du cirque sont souvent des troupes (2) .... qui proposent des (3) ...., des numéros de (4) .... d'animaux, des spectacles de (5) .... et des tours de (6) ....

Petite histoire du cirque

La conception occidentale du cirque s'inspire des jeux de l'Antiquité romaine, ainsi que des troubadours du Moyen Âge.

La première représentation d'un cirque moderne date de 1768 et a été présentée par Philip Astley à Londres. Cette nouvelle forme de spectacle, caractérisée surtout de numéros équestres, est introduite en France par Astley en 1774, puis reprise par Antonio Franconi.

C'est seulement au XIXᵉ siècle, lors des vagues de colonisation, que sont introduits en France et en Allemagne les premiers animaux exotiques ou sauvages.

Entre les deux Guerres mondiales, les cirques français ajoutent à leur établissement une ménagerie, avec des dompteurs ou des dresseurs d'animaux.

Après la Seconde Guerre mondiale, les cirques français s'associent à la radio et à la télévision. Ils mêlent le spectacle de cirque avec des présentateurs vedettes, des prestations d'artistes de music-hall, des exhibitions de champions sportifs et des jeux radiophoniques.

Dans les années 1970, le mouvement du nouveau cirque (appelé « cirque contemporain » ou « cirque de création », dans les années 2000) apparaît en France. Cet art se démocratise avec l'ouverture d'écoles de cirque agréées. Les cirques innovent avec des spectacles proches du théâtre, tout en continuant à présenter des disciplines traditionnelles. Cependant, la présence d'animaux sur la scène, interdite dans plusieurs pays du monde, est de plus en plus contestée en France.

Les spécialités que l'on peut voir dans un cirque sont nombreuses. Il y a presque toujours un Monsieur Loyal qui est le maître de piste, des clowns, des équilibristes, des acrobates, des trapézistes, des contorsionnistes, des magiciens, des mimes, des fakirs, des cracheurs de feu, des avaleurs de sabre, des jongleurs et des dompteurs d'animaux (autruches, chameaux, chevaux, chiens, dromadaires, éléphants, girafes, lamas, lions, otaries, ours, panthères, serpents, singes, tigres...).

Chapitre 5

Le bohémien

▶ 7 Nous étions en février et le froid nous empêchait* de faire des recherches pour retrouver le domaine perdu. D'ailleurs, Meaulnes ne m'en parlait plus. Je commençais à croire qu'il avait tout oublié. Cependant, un soir, vers la fin du mois, nous avons eu la première nouvelle du château mystérieux.

Il commençait à neiger et nous avons entendu dehors, alors que nous allions nous coucher, deux grands coups dans la cour, puis des voix ont crié :

– À l'abordage* !

Nous avons pensé à une attaque de bohémiens et de rôdeurs, car il y avait une roulotte avec deux hommes qui s'était installée sur la place du village.

– Il faut aller voir ! a décidé Meaulnes.

Nous sommes sortis dans la neige et le silence du soir. Tout près de la maison, deux individus cachés attendaient. Nous sommes partis en courant à la poursuite des deux inconnus. Je connaissais mal le quartier dans lequel nous nous dirigions et nous nous sommes retrouvés coincés dans une impasse*. Une dizaine de gars sont arrivés autour de nous. Leurs visages étaient cachés par des capuches, mais nous savions de qui il s'agissait : Delouche, Denis, Giraudat et les autres. Une seule personne nous était inconnue : il semblait que

---

nous empêchait nous rendait impossible
à l'abordage ! à l'assaut !

coincés dans une impasse bloqués dans une voie sans issue

c'était le chef. Ce garçon avait un bandage autour de la tête.

Nous nous sommes battus pendant un long moment. Cependant, nos ennemis ont réussi à prendre à Meaulnes le plan sur lequel il passait tout son temps. Le grand inconnu, en le dépliant, a dit :

– Voilà le plan ! Nous allons voir si tu es bien allé où je pense…

Sur ces mots, toute la bande est partie. Nous sommes rentrés à la maison sans rien dire à M. Seurel.

Le lendemain matin, il fallait retourner à l'école. Nous étions en retard et quelqu'un avait pris la place habituelle de Meaulnes. C'était un garçon au visage fin, pâle avec quelques tâches de rousseur* : il avait aussi tout autour de la tête une bande blanche. Il nous regardait avec mépris et j'ai tout de suite reconnu le bohémien de la veille.

Durant l'hiver, pendant quelques jours, des voyageurs de passage devenaient des élèves dans notre classe. Ce matin-là, le bohémien a raconté qu'il était arrivé dans notre village pour jouer un spectacle avec son compagnon Ganache, mais que le froid empêchait de faire des représentations. En attendant les beaux jours, il allait à l'école. Il avait dans son sac de nombreux trésors : livres, compas, plumier, coquillages, jeux, chansons… Il avait même un petit singe ! Il est tout de suite devenu le maître dans la cour. Il inventait des jeux. Ainsi, M. Seurel ne pouvait pas soupçonner ce jeune homme de nous avoir attaqués la veille au soir.

À quatre heures de cet après-midi, Meaulnes devait balayer* la classe, aidé par le nouvel élève. Mon ami voulait récupérer son plan et je devais l'aider. Cependant, il ne faisait rien pour déclencher* la bataille. À la fin du rangement*, Augustin a dit au bohémien :

– Ton bandeau est rouge de sang et tes habits sont déchirés.

tâches de rousseur petites tâches sur la peau de couleur brune ou jaune
balayer nettoyer avec un balai

déclencher provoquer
rangement action de mettre en ordre

– Ils se sont battus contre moi pour m'arracher* ton plan, a répondu l'autre garçon. Ils avaient compris que je voulais faire la paix avec vous. Mais, je l'ai récupéré !

Il était très fier et Meaulnes très reconnaissant :

– Merci, tu es un vrai camarade !

– Et tu vas être surpris de voir que je l'ai complété.

– Complété ?

– Oui, mais pas entièrement... Moi aussi, je suis allé là où tu as été, Meaulnes. J'ai vu cette fête extraordinaire. Quand les garçons du village m'ont parlé de ton aventure mystérieuse, j'ai tout de suite pensé au vieux domaine perdu. Mais, pour en être sûr, je t'ai volé ta carte. Je ne connais pas le nom du château, ni tout le chemin pour y aller.

Meaulnes et moi l'avons remercié et nous lui avons posé plein de questions. Au bout d'un moment, le bohémien a dit :

– Je préfère vous avertir. Je ne suis pas un garçon comme les autres. Il y a trois mois, j'ai voulu me tirer une balle dans la tête. C'est ce qui explique le bandeau...

– Et, tout à l'heure, en te battant, la plaie* s'est rouverte..., a continué Meaulnes.

– Vous savez, je voulais vraiment mourir. Comme je n'ai pas réussi, j'ai décidé de vivre comme un bohémien, en m'amusant tout le temps. J'ai tout abandonné : père, sœur, maison, amour... Soyez mes amis ! Je connais votre secret et je l'ai défendu contre tous. Jurez-moi que vous répondrez quand je serai de nouveau au désespoir et que je vous appellerai ainsi : « Hou-ou » ! a-t-il dit, en poussant un cri étrange.

Et nous avons juré. En échange, notre nouvel ami nous a donné l'adresse de la maison à Paris où la fille du château avait l'habitude de passer les fêtes : Pâques et Pentecôte et quelquefois une partie de l'hiver.

m'arracher m'enlever violemment
la plaie la blessure

Ce même soir, la blessure de notre nouvel ami s'étant rouverte, Ganache l'a soignée. La même nuit encore, il y a eu plusieurs vols de poulets et de bêtes dans le village. Les gens ont pensé que ça pouvait être un coup des bohémiens et ils ont averti les gendarmes. Les jours suivants, notre ami n'est pas venu à l'école : il était trop faible.

Tous ces événements nous avaient fait oublier que nous étions maintenant au mois de mars, que le printemps était arrivé. Meaulnes voulait tout de suite essayer le chemin indiqué par le bohémien. Je lui conseillais d'attendre encore un peu.

Pendant le déjeuner, un roulement de tambour venu de la place du village nous a annoncé une grande représentation pour le soir même. Ganache distribuait le programme. Une grande tente était installée : il y avait des gradins comme dans un vrai cirque.

Le soir, nous étions assis sur les bancs du bas. On a pu assister à un numéro de chèvre savante, puis un poney désignait les personnes les plus braves* ou les plus aimables de la société, ainsi que les plus menteuses, avares ou encore amoureuses... Tout le monde riait. Pendant l'entracte, le maître de cérémonie*, notre ami, avait expliqué à M. Seurel qu'ils allaient rester jusqu'à la fin du mois avec de nouvelles représentations. À la fin de l'entracte, en traversant la piste, le bohémien s'est fait insulter par Jasmin Delouche. Celui-ci a dû leur dire qu'il avait averti les gendarmes à propos du vol de poulets. Enfin, quand le rideau s'est levé, Ganache a fait une pantomime. Je ne m'en souviens pas bien : je me rappelle que le public a beaucoup ri quand un des bancs s'est cassé et que toutes les personnes assises dessus sont tombées. Dans tout ce brouhaha*, Ganache a salué et remercié le public. Le spectacle était fini. Meaulnes était silencieux et observait la piste. Tout à coup, il m'a dit :

---

braves courageuses
le maître de cérémonie la personne qui anime le spectacle

brouhaha bruit confus de la foule

– Regarde le bohémien ! Regarde ! Je l'ai reconnu !

Notre ami se tenait à l'entrée de la roulotte, il avait défait son bandeau et mis un manteau sur ses épaules. Inconsciemment, je savais aussi. J'avais deviné. C'était le fiancé du domaine perdu dont Meaulnes m'avait fait la description. Il était évident qu'il voulait être reconnu. Mais, à peine Meaulnes avait-il poussé ce cri en le voyant, que le garçon était rentré dans sa roulotte.

– Mais, comment ai-je fait pour ne pas le reconnaître tout de suite ?! se demandait Meaulnes.

Augustin voulait retrouver tout de suite Frantz de Galais, mais nous étions entraînés par la foule qui sortait. Une fois dehors, la roulotte était fermée.

Tout s'est expliqué alors : Ganache était la silhouette aperçue par Meaulnes la dernière nuit au domaine ; c'était lui qui avait porté le fiancé blessé. Ensemble, ils s'étaient enfuis.

Pourquoi Frantz se cachait-il ? Peut-être craignait-il de retourner chez lui ? Et pourquoi ce soir-là s'était-il découvert ?

Meaulnes avait décidé d'aller lui parler le lendemain. Il se voyait déjà sur la route du domaine…

Le lendemain matin, à huit heures, nous étions sur la place, mais il ne restait à l'emplacement des roulottes qu'un pot cassé. Quelle tristesse, quelle déception ! Les bohémiens étaient partis. Quand Jasmin Delouche avait dit que les gendarmes allaient venir, Frantz avait dû comprendre que Ganache était un voleur de poulets. Il s'était sûrement enfui de honte. Nous étions abattus.

LE BOHÉMIEN
Tout le village assiste à la représentation.
François, Meaulnes, Seurel et Millie sont au premier rang.

Compréhension

1 **Complète les phrases avec la bonne solution.**

Le chapitre commence ...
a ☑ au mois de février.
b ☐ au mois de mars.
c ☐ à Noël.

1 Un soir, Meaulnes et François ...
a ☐ se font attaquer par une dizaine de gars.
b ☐ font la paix avec Jasmin Delouche et ses copains.
c ☐ chassent des rôdeurs.

2 Le bohémien vole le plan de Meaulnes pour ...
a ☐ aller lui aussi au domaine mystérieux.
b ☐ le donner à Jasmin Delouche.
c ☐ vérifier dans quel château Meaulnes est allé.

3 Le bohémien ...
a ☐ détruit le plan.
b ☐ complète partiellement les indications sur le plan.
c ☐ perd le plan.

4 Le bohémien demande à Meaulnes et à François ...
a ☐ de jurer de répondre à son appel quand il en aura besoin.
b ☐ de l'aider à retourner au domaine.
c ☐ de l'aider à faire ses devoirs.

5 Pendant l'entracte du spectacle, ...
a ☐ le bohémien s'enfuit.
b ☐ Meaulnes va parler avec Ganache.
c ☐ le bohémien se fait insulter par Jasmin Delouche.

6 Delouche a averti

a ☐ les gendarmes.

b ☐ les pompiers.

c ☐ M. Seurel.

7 Le bohémien est en réalité

a ☐ M. de Galais, père.

b ☐ Frantz de Galais.

c ☐ un cousin de François.

Vocabulaire

2 **Associe chaque mot à sa définition.**

> entracte • roulotte • plumier • rôdeur • compas •
> pantomime • cirque • ~~bohémien~~ • coquillage

bohémien : personne qui vient de Bohême. Se dit de personnes nomades.

1 .... : grande voiture où logent les forains et les nomades.

2 .... : personne qui vagabonde avec des intentions douteuses.

3 .... : boîte longue servant à ranger des stylos et des crayons.

4 .... : instrument de mesure composé de deux branches articulées à une extrémité.

5 .... : mollusque à coquille.

6 .... : spectacle de numéros équestres, d'acrobaties et de clowns.

7 .... : art du mime.

8 .... : pause entre deux parties d'un spectacle.

Grammaire

3 **Transforme chaque phrase en remplaçant les mots en caractère gras par un des pronoms proposés ci-dessous.**

la • la • ~~l'~~ • l' • leur • y • y • en

J'ai sauvé **ton plan**.
Je l'ai sauvé. ....

1 Nous avons rencontré **Frantz de Galais**.

....

2 Vous connaissez **Yvonne de Galais** ?

....

3 Tu as parlé **avec les nouveaux élèves**.

....

4 Il me parle **de ses projets de vacances**.

....

5 Nous ne sommes pas arrivés **au domaine**.

....

6 Il pense tout le temps **à la fête**.

....

7 Il voit **Yvonne** dans ses rêves.

....

4 **Transforme chaque phrase en remplaçant les mots en caractère gras par le pronom *les, la* ou *l'*. Fais l'accord du participe passé.**

Il a acheté **des chaussures** pour la fête.
Il les a achetées pour la fête. ....

1 Nous avons fait **nos devoirs**.

....

2 La petite fille a mangé **les bonbons**.

....

3 Ils ont écouté **des histoires**.

....

4 Il a appris **la leçon**.

....

5 J'ai regardé **des photos**.

....

6 Vous n'avez pas invité **votre amie**.

....

DELF - Production écrite

5 Décris ton école idéale : organisation des cours, récréations, sorties, cantine. Décris les relations entre les professeurs et les élèves et entre les parents d'élèves et les enseignants. (max. 250 mots)

....

....

....

....

ACTIVITÉS DE PRÉ-LECTURE

Grammaire

6 Conjugue les verbes suivants au conditionnel passé.

	(nous - aller)	*nous serions allés*
1	(je - sembler)	....
2	(vous - vouloir)	....
3	(il - venir)	....
4	(elle - dire)	....
5	(ils - trouver)	....
6	(je - rester)	....
7	(tu - s'installer)	....
8	(nous - proposer)	....
9	(vous - expliquer)	....

7 Reconstitue les phrases suivantes.

g	Si j'ai besoin d'aide,	**a**	leur parler de ton problème.
1	J'aurais aimé	**b**	je te demanderais de m'accompagner.
2	Je voudrais aller		
3	Si je connaissais bien mon chemin,	**c**	rebrousser chemin.
		d	j'apprendrais aux jeunes à voyager.
4	Il aurait pu	**e**	qu'il m'accompagne.
5	Tu aurais dû	**f**	me coucher.
6	Si j'enseignais,	*g*	je pousserai un cri.

Chapitre 6

Le départ de Meaulnes

Nous sommes arrivés à l'école, tristes et déçus. Il n'y avait personne. Les élèves avaient fugué* dans les bois. Meaulnes était impatient. Il voulait essayer le chemin :

– Je pense qu'en réalité le domaine n'est pas aussi loin que ce que l'on croit. Frantz a supprimé une partie de l'itinéraire que j'avais indiqué.

– Peut-être, mais ton voyage de retour a duré toute une nuit, ai-je répondu.

– En fait, nous sommes partis à minuit du domaine et on m'a déposé à quatre heures du matin à six kilomètres de Sainte-Agathe. En passant par les bois des Communaux, on ne doit pas être loin, à environ deux lieues.

– Oui, mais ce sont ces deux lieues qui nous manquent…

Mouchebœuf est arrivé à ce moment et a dit :

– Je savais que vous étiez ici. Tous les autres sont partis dans les bois des Communaux. Ils ne veulent pas faire cours aujourd'hui !

– Eh bien, je vais les rejoindre, a répondu Meaulnes. Tu viens, François ?

– Je ne peux pas. Je dois rester pour M. Seurel, mais je t'attends !

Quand mon père est arrivé et qu'il a constaté qu'il n'y avait personne, il nous a dit à Mouchebœuf et à moi :

– Prenez vos affaires ! Nous allons les chercher !

J'étais chargé de suivre la lisière* du bois. Et c'est là, justement,

avaient fugué s'étaient évadés
la lisière la limite

selon le plan de mon ami, qu'il devait y avoir un chemin qui allait au domaine. Je devais le découvrir ! La promenade était merveilleuse : je vivais une aventure moi aussi ! Hélas, je n'ai rien trouvé lors de cette excursion en solitaire et j'ai retrouvé mes camarades.

Nous sommes rentrés. Meaulnes était déjà là, il nous attendait. Il m'a dit qu'il n'avait rien trouvé lui non plus. Il était découragé. Le soir, il a écrit une lettre à sa mère.

Quelques jours plus tard, il m'a annoncé :

– Je vais préparer mes bagages. J'ai demandé à ma mère de finir mes études à Paris. Je pars aujourd'hui.

J'ai senti un immense vide en moi.

– Les fêtes de Pâques approchent…, a-t-il dit pour s'expliquer.

– Tu m'écriras ?

– Promis ! Tu es mon ami et mon frère.

Au fond de moi, j'étais désespéré : tout était fini. Tout s'est vite passé ensuite. Augustin a prévenu mes parents : ses affaires ont vite été préparées. La mère de Meaulnes est arrivée et est repartie avec son fils sans donner d'explication. On s'est dit au revoir simplement. J'avais l'impression d'être seul au monde, que mon adolescence était partie dans cette voiture qui se dirigeait vers Paris.

Désormais, il ne me restait que la préparation de l'examen de l'école Normale à la fin de l'année.

J'étais triste, mais en même temps je me sentais libre de nouveau. C'était étrange, c'était comme si l'histoire de Meaulnes me tenait prisonnier. Maintenant, j'étais comme libéré de ce poids, de ce souci qui me tenait à l'écart des autres. Je pouvais redevenir un enfant du village comme les autres.

C'est comme ça, que le jour même, je suis parti avec Jasmin Delouche et d'autres chez la veuve Delouche, dans son arrière-boutique. Je savais maintenant que c'étaient eux mes amis. Ma vie avait changé encore une fois brusquement. J'avais l'impression que Meaulnes était parti depuis très longtemps et que son aventure était une triste et vieille histoire finie. J'étais un peu gêné et c'est sans doute pour dissiper* cette gêne que j'ai raconté l'histoire de mon ami. De toute façon, ça ne pouvait pas lui nuire*, tout était fini, il était parti.

À mon grand étonnement, l'histoire que j'ai racontée n'a eu aucun effet sur mes camarades.

– C'était une noce, quoi ! a commenté Boujardon.

Quant au château, il devait bien y avoir quelqu'un au village qui le connaissait. Et la jeune fille ? Personne ne doutait que Meaulnes l'épouserait quand il aurait fait son service militaire. Tous convenaient qu'Augustin aurait dû leur en parler et montrer son plan, au lieu de se confier à un bohémien. J'ai alors expliqué qui était ce bohémien et mes camarades ont répété que c'était à cause de lui que Meaulnes était devenu insociable*, lui qui était un si bon camarade avant. J'étais presque d'accord avec eux. Si nous n'avions pas été aussi mystérieux et si Meaulnes n'avait pas été aussi tragique, l'affaire se serait réglée autrement. En plus, Frantz avait eu une mauvaise influence sur nous.

Durant son absence, Meaulnes m'a écrit trois lettres, c'est tout.

J'ai reçu la première deux jours après son départ. Mon ami m'écrivait qu'il avait été à l'adresse indiquée par Frantz à Paris, mais qu'il n'avait rien vu, ni personne. Pâques approchait, disait-il, et personne n'habitait dans cette maison. Il avait attendu des heures sous ces fenêtres. Rien. Seule une jeune femme tenant un parapluie,

---

dissiper faire disparaître
nuire causer du tort

insociable asocial, solitaire

LE DÉPART DE MEAULNES
Meaulnes est à Paris. Il pleut, c'est la nuit :
il est en bas d'un immeuble parisien.

vêtue de noir avec un chemisier blanc, était assise sur un banc sous la pluie et attendait on ne sait quoi, on ne sait qui… Meaulnes terminait sa lettre en écrivant :

– Tu vois que Paris est plein de fous comme moi.

Au mois de juin, j'ai reçu la deuxième lettre de mon ami. Il était sans espoir. Il me racontait qu'il était retourné tous les soirs sous les fenêtres de la maison de Paris. Jamais la lumière ne s'était allumée dans cet appartement. Il avait revu la jeune fille vêtue de noir qui venait elle aussi s'asseoir sous ces fenêtres. Elle lui avait dit ce qu'elle savait : le jeune homme avait fui le château de ses parents et la jeune fille s'était mariée. Depuis cette nouvelle, Meaulnes se trouvait dans le plus grand désespoir. Cependant, mon ami ne me disait pas ce qu'il avait fait pendant tout ce temps ni ce qu'il comptait faire. C'était comme s'il rompait avec moi, parce que son aventure était finie. Il voulait effacer son passé. Je lui ai souvent écrit, mais il ne m'a pas répondu, sauf pour me féliciter lorsque j'ai réussi mon Brevet*.

C'est à la rentrée que j'ai reçu la troisième et dernière lettre d'Augustin. Elle était encore plus triste que les autres. Il m'écrivait qu'il continuait à passer sous les fenêtres de la jeune fille, par folie. Et il terminait en disant :

– Notre aventure est finie. Il vaut mieux m'oublier, il vaut mieux tout oublier.

L'hiver s'annonçait aussi triste que l'été avait été vivant et mystérieux. J'essayais de tout oublier. Le temps passait. Je fréquentais Jasmin Delouche, Boujardon et Denis parce qu'ils étaient de l'époque de Meaulnes. Ils me rappelaient mon ami et cette période de ma vie.

Un jour du mois d'août, nous sommes allés faire une promenade vers le Cher. Sur le chemin du retour, Jasmin a commencé à parler

Brevet examen d'instituteur à la fin du Cours Supérieur

des domaines qu'il avait visités et en particulier d'un. Il s'appelait le domaine des Sablonnières et était à moitié abandonné. Il se situait près du Vieux-Nançay. Il avait vu, dans la chapelle en ruine, une pierre tombale gravée : *Ci-gît** le chevalier Galois fidèle à son Dieu, à son Roi, à sa Belle*. Il avait été intrigué* par la vieille tourelle grise et avait visité la propriété un jour, grâce au gardien. Mais, depuis, on avait fait détruire une partie du domaine : il ne restait que la ferme et une petite maison. Les habitants, par contre, étaient les mêmes : un vieux monsieur et sa fille. J'écoutais le récit de Jasmin, quand celui-ci a dit :

– Mais, j'y pense ! C'est là que Meaulnes est allé ! Je me souviens que le gardien parlait souvent du fils de la maison comme d'un personnage excentrique qui avait des idées extraordinaires.

Il avait deviné juste. Le domaine avait enfin un nom !

Désormais, l'histoire était entre mes mains. Toute la famille de mon père, et en particulier mon oncle Florentin, vivait au Vieux-Nançay. Je passais depuis toujours la fin des grandes vacances ici. J'adorais retrouver mes cousins et mes cousines : mon oncle avait un garçon de mon âge, Firmin, et huit filles. Ils avaient un grand magasin à l'entrée du village : c'était un magasin universel où tous les châtelains* et les chasseurs faisaient leurs courses. On trouvait de tout dans cette boutique : chapeaux, matériel de jardinage, lampes, épiceries…

À la découverte faite par Delouche, je décidais d'aller tout de suite voir ma famille. Cependant, je ne voulais rien dire encore à Meaulnes, de peur de le faire souffrir une fois de plus inutilement.

---

ci-gît ici est enterré
intrigué intéressé

les châtelains les propriétaires de châteaux

Compréhension

1 Coche si les affirmations sont vraies (V) ou fausses (F).

	V	F
Au début du chapitre, les élèves de la classe fuguent dans les bois.	✓	☐
1 Meaulnes et François ne veulent pas aller dans les bois.	☐	☐
2 François découvre seul la lisière du bois.	☐	☐
3 Meaulnes découvre un chemin.	☐	☐
4 Meaulnes décide de partir.	☐	☐
5 François se sent triste et libéré quand Meaulnes s'en va.	☐	☐
6 François n'a plus d'ami.	☐	☐
7 François raconte l'histoire de Meaulnes et tous les garçons de la classe sont impressionnés.	☐	☐

2 Complète le résumé du chapitre avec les mots donnés.

> grise • mystérieux • femme • Paris • ~~lettres~~ • noir •
> désespéré • mains • camarades • enfui • adresse • mariée •
> folie • oublier • domaine • tourelle

Meaulnes a écrit trois (0) ......*lettres*......... à François. Il écrit qu'il est allé à l'(1) .... indiquée par Frantz à (2) .... Cependant, il n'y a personne sauf une jeune (3) .... vêtue de (4) .... qui s'assoit elle aussi sous les mêmes fenêtres que lui. Elle lui raconte que dans la famille qui habitait ici, le jeune homme s'est (5) .... et la jeune fille est (6) .... Meaulnes est (7) ...., mais continue à venir sous ces fenêtres par (8) ....
Il veut tout (9) .... : toute l'aventure de Sainte-Agathe.
François est triste et reste avec ses anciens (10) .... de classe. Delouche raconte qu'il a visité un (11) .... en ruine avec une (12) .... (13) .... et comprend tout à coup que c'est le domaine (14) .... de Meaulnes.
Maintenant, l'histoire est entre les (15) .... de François.

3 François vit une aventure dans le bois. Complète son récit.

> excursion • première • ~~merveilleuse~~ • seul • l'extrémité •
> aventure • caché • voix • loin • fatigué

Quelle promenade (0) ...*merveilleuse*... . Pour la (1) .... fois,
je vivais une (2) .... moi aussi. J'étais (3) ....
dans les bois dans un endroit (4) .... J'ai marché. Tout
à coup, j'étais déjà arrivé à (5) .... des Communaux.
Moi qui croyais que c'était (6) .... Je n'ai rien trouvé
lors de cette (7) .... en solitaire. Je commençais à être
(8) .... quand j'ai entendu les (9) .... de mes
camarades et de M. Seurel. Je les ai rejoints.

4 Coche les bonnes réponses.

François reçoit une lettre de Meaulnes ...
a ☐ deux mois après son départ.
b ☑ deux jours après son départ.
c ☐ deux semaines après son départ.

1 Meaulnes raconte que ...
a ☐ une famille habite dans l'appartement parisien.
b ☐ une jeune fille seule habite dans l'appartement parisien.
c ☐ personne n'habite dans l'appartement parisien.

2 Meaulnes rencontre une jeune fille qui ...
a ☐ comme lui s'assied sous les mêmes fenêtres.
b ☐ connaît très bien la famille qui habite là.
c ☐ ne parle pas.

3 Meaulnes est désespéré d'apprendre que ...
a ☐ Frantz est parti.
b ☐ François est triste.
c ☐ Yvonne est mariée.

4 Meaulnes demande à François de ...
a ☐ le rejoindre à Paris.
b ☐ tout oublier.
c ☐ continuer à chercher le domaine perdu.

DELF - Production écrite

5 **Tu es François et tu écris une lettre à Meaulnes pour lui parler du temps où il était à Sainte-Agathe. (max. 300 mots)**

....
....
....
....
....
....
....
....
....
....

Production orale

6 **Aujourd'hui, on écrit de moins en moins de lettres : on envoie des mails ou on utilise le téléphone portable. Avec un copain, imagine une conversation téléphonique entre Meaulnes à Paris et François à Sainte-Agathe.**

Vocabulaire

7 **Tu as un grand ami. Décris votre amitié en quatre adjectifs.**

....
....
....
....
....
....
....

Grammaire

8 **Transforme les phrases suivantes au discours indirect.**

Il disait : « Je veux tout oublier. »
Il disait qu'il voulait tout oublier.

1 Il répétait : « Notre aventure est finie. »

2 Elle a expliqué : « Ce château appartient à ma famille. »

3 J'ai répondu : « Je n'ai plus d'ami en classe. »

4 Il crie : « Je suis désespéré ! »

5 Ils disaient : « Le domaine a un nom ! »

6 Elle a raconté : « La jeune fille est mariée. »

7 J'ai pensé : « Je vais aller chez mon oncle. »

8 Je calcule : « Je ne vais encore rien dire à Meaulnes. »

Production écrite

9 **Imagine. Selon toi, qu'a fait Augustin pendant la période où il n'écrit plus à François ? Que va faire François maintenant ?**

Chapitre 7

La grande nouvelle

Dès mon arrivée au Vieux-Nançay, je suis allé voir mon oncle dans sa boutique, pour le questionner sur le domaine des Sablonnières.

– Oh, tu sais, c'était un domaine en ruine. Les propriétaires ont tout vendu. Ils n'ont gardé qu'une petite maison d'un étage et la ferme. Tu auras l'occasion de rencontrer Mlle de Galais : elle fait ses courses elle-même ici. Elle vient toujours avec son vieux cheval, Bélisaire. C'est un drôle d'équipage* !

– Mais, ils étaient riches ?

– Oui ! M. de Galais faisait organiser de grandes fêtes pour amuser son fils : c'était un garçon étrange, plein d'idées extravagantes. Leur dernière grande fête, c'était il y a deux hivers. Ils avaient invité beaucoup de monde : des Parisiens et des gens d'ici. Ils avaient même acheté ou loué* des habits magnifiques, des jeux, des chevaux, des bateaux… Tout cela, toujours pour amuser Frantz de Galais ! On disait qu'il allait se marier et on fêtait ses fiançailles. Mais, la fiancée n'est pas venue et il s'est enfui. On ne l'a jamais revu. La châtelaine est morte et Yvonne est restée avec son père.

– Mais, elle est mariée ?

– Non, je ne suis pas au courant. Tu es intéressé ?

– Non, mais, mon ami, Augustin Meaulnes…

un équipage ensemble de voiture et chevaux
loué pris en payant pour un temps

– Ah ! S'il ne cherche pas l'argent, Mlle de Galais est un joli parti*. Si tu veux, je peux en parler à M. de Galais, il vient souvent ici.

– Oh, non. Attends encore. Je vais d'abord retrouver mon ami.

Cette facilité m'inquiétait un peu. Je souhaitais d'abord voir Mlle de Galais, avant d'annoncer la nouvelle à Meaulnes. Je n'ai pas attendu longtemps pour la rencontrer. Le lendemain, j'étais dans la boutique avec mes cousines quand elle est arrivée. J'ai vu tout d'abord une vieille voiture de ferme, tirée par un très vieux cheval blanc, qui s'arrêtait devant la porte. Puis, je l'ai vue, assise sur le siège : j'ai trouvé que c'était la jeune fille la plus belle du monde. Elle avait la grâce et en même temps quelque chose de grave. Elle avait la taille si fine qu'elle semblait fragile. Ses cheveux étaient longs et blonds, son visage très fin avait quelques tâches de rousseur, ses yeux étaient bleus et purs. Elle est descendue de voiture et s'est installée dans la boutique pour bavarder avec ma tante. Elle était douce et enfantine, et en même temps sa voix était sérieuse. C'est elle qui m'a adressé la parole en premier :

– Alors, comme ça, vous allez devenir instituteur ? Moi aussi, j'aimerais enseigner, si M. de Galais voulait bien. J'aimerais faire la classe aux petits garçons, comme votre mère.

Ainsi, mes cousins lui avaient parlé de moi.

– Si j'enseignais, a-t-elle continué avec une sorte de regret*, j'apprendrais aux garçons à être sages et à trouver le bonheur autour d'eux. Je ne leur donnerais pas le désir de parcourir le monde…

Et, elle a ajouté :

– Car, peut-être qu'un jeune homme fou me cherche au bout du monde.

– Et peut-être que moi je le connais, ce jeune homme fou, ai-je osé dire.

un joli parti une belle personne à marier
regret déception causée par la non réalisation d'un projet

Deux clientes sont entrées dans la boutique et ma tante nous a installés dans la cuisine. Là, il y avait un vieil homme au visage doux, creux et rasé : c'était M. de Galais. Il discutait avec mon oncle Florentin, qui a dit bonjour et m'a annoncé :

– François, il y aura un après-midi de plaisir au bord du Cher, jeudi prochain. On pourra chasser, pêcher, danser, se baigner... Mademoiselle, vous viendrez à cheval, j'ai tout organisé avec monsieur votre père. Et toi, François, tu pourras venir avec ton ami Meaulnes, c'est bien comme cela qu'il s'appelle ?

À ce nom, Mlle de Galais s'est levée : elle était toute pâle. Je me suis souvenu que lors de la fête mystérieuse, mon ami lui avait dit son nom.

Le lendemain, je suis parti à vélo à La Ferté-d'Angillon, chez Augustin Meaulnes. J'ai enfin découvert ce village dont mon ami m'avait tant parlé. Tout était très calme et j'ai eu peur de troubler* cette paix.

Ma tante Moinel habitait ici et j'ai décidé de lui rendre visite. Elle a été surprise de me voir, mais contente. C'était une femme bizarre. Elle me racontait toujours des histoires qui faisaient peur, quand j'étais petit. Ce soir-là, une fois que j'étais couché dans mon lit, elle est entrée et a dit :

– François, je dois te raconter quelque chose que je n'ai jamais dit à personne.

J'ai tout de suite imaginé qu'elle allait me raconter encore une de ses histoires terrifiantes.

– Un soir, je rentrais d'une noce avec ton oncle Moinel. Un vieil ami à lui, très riche, l'avait invité au mariage de son fils. La fête se passait au domaine des Sablonnières. Nous revenions, il était sept heures du

troubler déranger, interrompre

LA GRANDE NOUVELLE

François rencontre Yvonne dans la boutique de son oncle.

matin, en plein hiver, le soleil se levait. Et tout à coup, qu'est-ce que j'ai vu devant nous sur la route ? Un jeune homme, petit, très beau qui ne bougeait pas. Il nous regardait. Son visage était très blanc et il me faisait peur. Le cheval s'est arrêté et nous l'avons vu de près. Le jeune homme transpirait et portait un béret* sale et un pantalon long. Il nous a dit : « Je ne suis pas un homme, je suis une jeune fille. Je me suis sauvée. Pouvez-vous me faire monter dans votre voiture ? ». Et sais-tu qui c'était ? C'était la fiancée du jeune homme du domaine des Sablonnières, Frantz de Galais. Elle nous a tout expliqué. Cette pauvre folle était la fille d'un tisserand*. Elle pensait que tout le bonheur que lui proposait Frantz de Galais était impossible. Elle ne croyait pas aux merveilles qu'il lui promettait. Lorsque Frantz était venu la chercher à Bourges, elle avait eu peur et s'était enfuie habillée en homme. Elle avait écrit à son fiancé pour lui dire qu'elle partait rejoindre un jeune homme qu'elle aimait. Mais ce n'était qu'un mensonge… Quelle idiote ! Son fiancé s'est tiré une balle et on n'a jamais retrouvé son corps.

Et ma tante a continué :

– Nous avons accueilli cette jeune fille une bonne partie de l'hiver. Elle passait ses journées à coudre et les soirées à pleurer dans le jardin. Ensuite, elle a voulu continuer sa route pour Paris et elle nous a quittés. Elle est couturière* à Paris, près de Notre-Dame. Elle nous écrivait souvent pour demander des nouvelles des Sablonnières. Un jour, pour la libérer de cette histoire, je lui ai dit que le domaine avait été vendu, que le jeune homme avait disparu et que la jeune fille était mariée. Depuis, elle n'écrit plus.

Cette histoire m'a mis mal à l'aise. Que devais-je faire ? Nous avions promis à Frantz de l'aider et voilà que je le pouvais. J'avais l'adresse de la jeune fille, mais où était le bohémien ? Je ne voulais pas gâcher*

---

un béret une sorte de bonnet
un tisserand un ouvrier spécialisé dans la fabrication de tissus

couturière personne qui fabrique ou retouche des vêtements
gâcher détruire

la joie que j'allais apporter à mon ami. J'ai donc décidé d'attendre de voir Augustin marié à Yvonne, pour lui annoncer ensuite la nouvelle.

Meaulnes vivait avec sa mère dans l'ancienne école du village. Elle préparait le départ de son fils quand je suis arrivé.

– Venez, il est là. Il est en train d'écrire.

Quand je suis rentré dans la pièce, Meaulnes s'est levé et m'a dit :

– Seurel !

C'est tout. J'avais imaginé plus d'enthousiasme. Il n'avait pas changé, sauf qu'une moustache commençait à apparaître au-dessus de sa lèvre. Il avait l'air gêné de me voir, il était concentré sur un projet. Moi, j'étais joyeux et je voulais bavarder.

– Tu pars ? Mais, pas pour longtemps, hein ?

– Si, je vais faire un très long voyage.

Je ne savais plus quoi dire ni pourquoi j'étais là.

– Seurel ! Mon étrange aventure de Sainte-Agathe était ma raison de vivre. Une fois que j'ai perdu tout espoir, je ne pouvais plus vivre comme tout le monde… Quand tu as goûté au bonheur une fois, tu ne peux pas accepter une vie ordinaire.

– Mais, j'ai une nouvelle à t'annoncer. Tout espoir n'est pas perdu.

Je lui ai alors raconté ce que je savais d'Yvonne de Galais. Mon ami est devenu très pâle et quand j'ai ajouté que le domaine d'autrefois avait été détruit, il a dit :

– Tu vois ? Il n'y a plus rien !

Enfin, j'ai parlé de la partie de campagne organisée par mon oncle.

– Tu crois vraiment que je dois venir ? m'a demandé Meaulnes.

– Mais, enfin, ça ne se demande pas ! Avertis ta mère que tu ne pars pas.

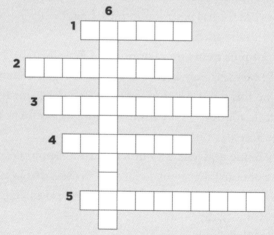

Vocabulaire

1 **Associe les adjectifs aux personnages qui conviennent et accorde-les en genre et en nombre.**

> petit • sérieux • doux • grave • beau • enfantin

Yvonne de Galais est *sérieuse* ....
....

M. de Galais est ....
....

La fiancée de Frantz de Galais est ....
....

2 **Complète la grille de mots croisés.**

1 Personne chargée de défendre une des parties lors d'un procès.

2 Personne qui conduit des avions.

3 Employé qui s'occupe du secrétariat d'une entreprise ou d'un bureau.

4 Personne qui vend dans un magasin.

5 Personne qui enseigne au collège et au lycée.

6 Personne qui soigne les animaux.

3 **Complète les phrases avec la bonne solution.**

Le tisserand travaille avec …
a ☑ un métier à tisser.
b ☐ une guitare.

1 La couturière travaille dans …
a ☐ un magasin.
b ☐ un atelier de mode.

2 L'instituteur travaille dans …
a ☐ une école.
b ☐ un lycée.

3 Le commerçant travaille dans …
a ☐ une banque.
b ☐ un magasin.

4 L'écrivain travaille avec …
a ☐ un stylo ou un ordinateur.
b ☐ un stéthoscope.

5 Le médecin soigne …
a ☐ les gens malades.
b ☐ les animaux malades.

6 Le pharmacien vend …
a ☐ des médicaments.
b ☐ des vêtements.

7 L'ouvrier travaille dans …
a ☐ un magasin.
b ☐ une usine.

8 Le coiffeur travaille dans …
a ☐ un magasin.
b ☐ une école.

9 Le musicien et le danseur travaillent dans …
a ☐ un théâtre.
b ☐ une gare.

Compréhension

4 **Réponds aux questions.**

Comment s'appelle le cheval de Mlle de Galais ?
Bélisaire
....

1 Pourquoi Yvonne de Galais est-elle au courant que François est instituteur ?

....

2 Si Yvonne était enseignante, que voudrait-elle apprendre aux garçons ?

....

3 Qu'est-ce que l'oncle Florentin a organisé ?

....

4 Quelle est la réaction d'Yvonne de Galais quand elle entend le nom d'Augustin Meaulnes ?

....

5 Pourquoi François avait peur de sa tante quand il était petit ?

....

6 Qui ont rencontré l'oncle et la tante Moinel un soir sur la route de retour d'une fête du domaine des Sablonnières ?

....

7 Que s'apprête à faire Meaulnes quand François arrive ?

....

8 Que fait Meaulnes finalement ?

....

DELF - Production écrite

5 **Observe l'illustration de la page 75 et décrit la scène.
(max. 200 mots)**

....
....
....
....
....

Grammaire

6 Ces phrases contiennent des erreurs. Corrige-les !

Je serais dans la boutique quand elle est arrivée.
J'étais dans la boutique quand elle est arrivée.

1 Cet histoire m'a mis mal à l'aise.

2 Que devait-je faire ?

3 Nous avions promis à Frantz de lui aider.

4 J'avais l'adresse du jeune fille, mais où était le bohémien ?

5 Je ne voudrai pas gâcher la joie que j'allais apporter à mon ami.

6 Elle était assis sur le siège de sa vieille voiture.

ACTIVITÉ DE PRÉ-LECTURE

▶ 9 **7** **Reconstitue le dialogue entre François et Frantz. Puis écoute le chapitre 8 et vérifie l'ordre des répliques.**

a ☐ – Viens avec moi. Nous irons chez ta sœur et Augustin, ils t'accueilleront et tout sera fini. Ne t'inquiète pas.

b ☐ – Mais, seul Meaulnes peut me sauver. Il peut retrouver la trace que j'ai cherché partout. Yvonne le laissera partir, elle ne m'a jamais rien refusé...

c ☑ – Frantz ! C'est moi, Seurel ! N'aies pas peur, je voudrais te parler.

d ☐ – Je suis malheureux ! Je suis très malheureux !

e ☐ – Non. Pourquoi Meaulnes ne répond-il pas quand je l'appelle ? Pourquoi ne tient-il pas sa promesse ?

f ☐ – Et toi ? Que veux-tu ? Pourquoi es-tu venu troubler le bonheur des gens heureux ?

g ☐ – Que veux-tu ?

h ☐ – Enfin, le temps des enfantillages est terminé. Laisse ceux que tu aimes vivre leur bonheur.

Chapitre 8

La partie de plaisir

▶ 8 C'était la fin du mois d'août, les journées commençaient à diminuer et quelques arbres jaunissaient.

Augustin et moi avons pris des bicyclettes pour retourner au Vieux-Nançay. Mon ami était pressé*. Une fois arrivés, nous avons pris une voiture pour aller à la partie de campagne près du Cher. Sur le chemin, nous avons rencontré d'autres voitures d'invités : mon oncle avait convié beaucoup de monde. Quand Meaulnes a vu que Jasmin Delouche était là, il a dit :

– Et dire que c'est lui qui détenait* la clé de tout !

Il lui en voulait* terriblement, tandis que Delouche imaginait que nous lui devions toute notre reconnaissance.

La campagne et les bords du Cher étaient beaux et doux ! Nous nous sommes installés sur une immense pelouse, puis nous sommes partis à l'entrée d'un grand chemin pour attendre les derniers arrivants. Mais, mon ami était agité et passait ses nerfs sur Delouche, le pauvre. Tout à coup, Augustin a dit :

– Et si elle ne venait pas ?

– Mais, enfin, puisqu'elle a promis. Sois patient !

– Non, je retourne avec les autres. Je sens que si je reste ici, elle ne viendra jamais.

Je suis resté seul un instant et après avoir parcouru quelques

était pressé allait vite
détenait avait en sa possession

il lui en voulait il avait de la rancune contre lui

mètres, j'ai aperçu Yvonne de Galais sur son vieux cheval blanc. Elle était toujours aussi belle. Son père, M. de Galais, marchait devant elle. Quand elle a vu que j'étais seul, elle m'a souri et a dit :

– Je suis bien contente de voir que vous êtes seul. Je ne veux montrer à personne mon cheval, il est trop laid et trop vieux. Mais, je n'ose monter que lui. Et puis, je ne veux pas qu'il reste avec les autres chevaux, j'ai peur qu'ils lui fassent mal.

Elle parlait vite et je la sentais aussi nerveuse que Meaulnes. Ses joues étaient roses. Comme elle le désirait, M. de Galais a attaché Bélisaire à un arbre dans un petit bois, près de la route.

Yvonne portait un manteau léger et marchait en donnant le bras à son père. Tout le monde la regardait. Un groupe s'est formé autour d'elle pour la saluer. Meaulnes se fondait* dans la foule : vêtu de gris, il ne faisait rien pour être remarqué. C'est elle qui s'est avancée vers lui :

– Je reconnais Augustin Meaulnes, a-t-elle dit en lui tendant la main.

Malheureusement, les deux jeunes gens ont déjeuné à des tables séparées et n'ont pu se retrouver qu'en fin de journée. J'étais avec eux. Augustin ne parlait que du passé et questionnait Yvonne sur le domaine. Elle lui répondait à chaque fois que le domaine n'existait plus : la demeure avait été détruite, l'étang asséché* et comblé*. Et à chaque nouvelle réponse, la tristesse nous gagnait tous. Mais, Augustin continuait inlassablement* à demander des nouvelles des enfants de la fête ou encore des poneys. Yvonne devait à chaque fois répéter qu'il n'y avait plus de chevaux au domaine, qu'il ne restait plus rien.

– Vous ne reverrez plus le beau château de la fête. Nous avions tout arrangé selon les désirs de Frantz. Nous avons toujours tout fait pour lui faire plaisir. Cette fête était si belle et si étrange, comme lui.

---

se fondait se cachait
asséché rendu sec

comblé rempli
inlassablement de manière continuelle

Mais tout a disparu avec lui le soir de ses fiançailles manquées. Mon père était ruiné* à l'époque et nous ne le savions pas. Frantz avait des dettes* et quand il a disparu, les gens sont venus réclamer leur argent. Nous sommes devenus pauvres. Mme de Galais est morte et nous n'avons plus eu d'amis. Si Frantz pouvait revenir...

– Qui sait ! a répondu Meaulnes, qui a enfin arrêté de poser des questions.

Je ne comprenais pas pourquoi Meaulnes, qui se trouvait à côté de celle qu'il avait tant cherchée, était si froid. Tout à coup, quelqu'un au loin a chanté une chanson que mon ami avait entendu lors de la fête : il est parti un moment et Yvonne m'a dit :

– Il n'est pas heureux.

Et puis, nous avons entendu un cri : le vieux Bélisaire avait eu un accident. Il s'était pris les pattes dans sa courroie*, qui avait été attachée trop bas. M. de Galais et Delouche essayaient de le délivrer, mais n'y parvenaient pas. Meaulnes, en revenant, a vu la scène. Il s'est mis en colère :

– Qui a pu faire une chose pareille ? Qui a laissé cette selle* toute la journée sur ce vieux cheval ?

M. de Galais a voulu parler et mon ami l'a interrompu sur un ton agressif :

– Ah, c'est vous le fautif* ! Il faut emmener tout de suite ce cheval à l'écurie* et ne plus jamais le sortir !

Sur ce, Mlle de Galais, qui allait se mettre à pleurer, s'en est allée avec son père et le vieux Bélisaire.

Quelle triste fin de soirée ! Mon oncle était très déçu. Meaulnes est remonté avec nous dans notre voiture. J'ai vu qu'il pleurait. Tout à coup, il a ordonné à mon oncle Florentin de s'arrêter :

était ruiné avait des problèmes d'argent
avait des dettes devait rendre de l'argent
courroie bande longue qui sert à attacher

selle siège spécial que l'on met sur le dos des chevaux
le fautif celui qui a commis une faute, une erreur
l'écurie le lieu où logent les chevaux

– Je reviendrai tout seul, à pied.

Il est parti en courant pour rejoindre Mlle de Galais. Il est arrivé au domaine et a fait sa demande en mariage à la jeune fille qu'il aimait depuis si longtemps.

Les fiançailles ont duré cinq mois et ont été très paisibles*. Moi, pendant ce temps, j'étais devenu instituteur dans un petit hameau* à Saint-Benoist-des-Champs. Je menais une existence très solitaire, même si je ne mettais que trois quarts d'heure pour aller aux Sablonnières à pied et que je voyais souvent Delouche.

Le mariage de mes amis a été assez rapide et seuls Delouche et moi sommes restés après le déjeuner. Nous sommes partis nous promener dans le bois. Au loin, nous voyions la maison des nouveaux mariés : elle était fermée et silencieuse. De temps en temps, j'entendais des notes de piano et une voix. Je pensais qu'ils étaient heureux, enfin, et cela suffisait à mon bonheur à moi aussi. Tout à coup, Jasmin m'a dit :

– Écoute !

Et j'ai entendu :

– Hou-ou !

J'ai reconnu l'appel de Frantz, celui auquel il nous avait fait jurer de répondre quoi qu'il arrive pour l'aider.

– Ils sont là, tous les deux, depuis ce matin, a dit Jasmin. J'ai aperçu Ganache, mais il a fui quand il m'a vu.

– Mais, que cherchent-ils ?

– Je ne sais pas, mais il faut les faire partir. Sinon, tout va recommencer. Ils ont fait assez de mal... ■

---

paisibles calmes, tranquilles
un hameau petit groupement de maisons à l'écart d'une commune rurale

▶ 9   Nous avons donc marché dans le bois, en nous dirigeant au son du cri :

– Frantz ! C'est moi, Seurel ! N'aies pas peur, je voudrais te parler.

J'ai alors vu une silhouette amaigrie, aux cheveux trop longs, un garçon sale et plein de boue qui semblait avoir pleuré :

– Que veux-tu ? m'a-t-il demandé.

– Et toi, Frantz ? Que veux-tu ? Pourquoi es-tu venu troubler le bonheur des gens heureux ?

– Je suis malheureux ! Je suis très malheureux !

– Viens avec moi. Nous irons chez ta sœur et Augustin, ils t'accueilleront et tout sera fini. Ne t'inquiète pas.

– Non, pleurait-il. Pourquoi Meaulnes ne répond-il pas quand je l'appelle ? Pourquoi ne tient-il pas sa promesse ?

– Enfin, Frantz, le temps des enfantillages* est terminé. Laisse ceux que tu aimes vivre leur bonheur.

– Mais, seul Meaulnes peut me sauver. Il peut retrouver la trace que j'ai cherché partout. Yvonne le laissera partir, elle ne m'a jamais rien refusé...

Son visage était maigre, sale et rempli de larmes. Il était mal rasé et avait des cernes*. Il n'avait plus rien d'impérial. Le jeune homme orgueilleux et fantasque était devenu un homme vieillissant qui avait raté* sa vie.

Alors, je lui ai fait une promesse :

– Bientôt, Meaulnes partira à la recherche de la jeune fille. Tu reviendras ici dans un an et celle que tu aimes sera là.

En réalité, je ne voulais pas déranger le nouveau couple et pensais retrouver moi-même la fiancée de Frantz. Ce dernier m'a alors annoncé qu'il partait pour l'Allemagne. ■

---

le temps des enfantillages l'âge des bêtises, des caprices
des cernes des traces de fatigue sous les yeux

avait raté n'avait pas réussi

LES NOCES
C'est le soir du mariage de Meaulnes. François retrouve Frantz dans le bois.
Il est malheureux et demande de l'aide.

Compréhension

1 Coche les affirmations correctes.

   a ☐ La fête au bord du Cher a lieu à la fin du mois de juillet.
   b ☑ La fête au bord du Cher a lieu à la fin du mois d'août.

1 a ☐ Delouche assiste à la fête.
 b ☐ Delouche ne vient pas à la fête.

2 a ☐ Augustin a peur qu'Yvonne de Galais ne vienne pas.
 b ☐ Augustin sait qu'Yvonne de Galais va venir.

3 a ☐ Meaulnes passe toute la journée avec Yvonne de Galais.
 b ☐ Meaulnes se retrouve avec Yvonne de Galais en fin de journée.

4 a ☐ Meaulnes ne parle que de la fête aux Sablonnières et du domaine.
 b ☐ Meaulnes parle du futur avec Yvonne.

5 a ☐ Le domaine existe encore et est toujours aussi beau et grand.
 b ☐ Le domaine n'existe plus.

6 a ☐ Les fiançailles de Meaulnes et de Mlle de Galais ont été agitées.
 b ☐ Les fiançailles de Meaulnes et de Mlle de Galais ont été paisibles.

7 a ☐ Frantz de Galais vient demander de l'aide.
 b ☐ Frantz de Galais assiste au mariage de sa sœur.

8 a ☐ Frantz de Galais a cherché partout la fille qu'il aime.
 b ☐ Frantz de Galais est marié avec la fille qu'il aime.

9 a ☐ François promet de retrouver la jeune fille.
 b ☐ François dit à Frantz de partir en Allemagne.

2 **Remets les phrases du chapitre en ordre.**

a ☐ Yvonne répond que le domaine n'existe plus.

b ☐ Meaulnes est très nerveux de revoir Yvonne de Galais.

c ☑ L'oncle Florentin a organisé une partie de campagne au bord du Cher.

d ☐ Meaulnes pense que s'il attend, Yvonne ne viendra pas.

e ☐ Le jour du mariage, Frantz lance son appel pour demander de l'aide.

f ☐ Meaulnes ne déjeune pas avec Yvonne.

g ☐ Meaulnes pose des questions sur le domaine.

h ☐ Meaulnes est triste.

i ☐ Les deux jeunes se retrouvent en fin de journée.

j ☐ Meaulnes demande Yvonne de Galais en mariage.

k ☐ François promet d'aider Frantz.

l ☐ François devient instituteur.

m ☐ Frantz est très malheureux.

n ☐ François accueille Yvonne avec son père et le vieux cheval Bélisaire.

3 **Observe l'illustration de la page 87 et décris-la. Comment sont les personnages ? Quelle est l'atmosphère ?**

....

....

....

....

....

....

....

....

....

....

....

Vocabulaire

4 **Relie chaque adjectif à son contraire.**

lent

1 modeste
2 amusant
3 heureux
4 gai
5 beau
6 jeune
7 calme
8 optimiste
9 riche
10 comblé
11 joyeux
12 gentil
13 normal
14 poli
15 bavard
16 doux
17 sociable
18 raisonnable
19 silencieux
20 maigre
21 propre

a nerveux
b ennuyeux
c sale
d pressé
e déçu
f malheureux
g gros
h bruyant
i laid
j abattu
k agressif
l solitaire
m fantasque
n orgueilleux
o pauvre
p vieux
q triste
r méchant
s silencieux
t grossier
u triste
v extraordinaire

Grammaire

5 **Forme des phrases à l'impératif.**

être courageux (tu)
Sois courageux ! ....

1 venir chez moi (vous)

....

2 parler moins vite (tu)

....

3 partir, ne pas gâcher le bonheur des autres (tu)

....

4 être heureux (nous)

....

5 s'arrêter (vous)

....

6 emmener tout de suite ce cheval à l'écurie (vous)

....

7 revenir ici dans un an (tu)

....

6 **Forme des phrases comparatives à l'aide des indications entre parenthèses.**

Meaulnes / nerveux / Yvonne de Galais (=)
Meaulnes est aussi nerveux que Yvonne de Galais.

1 Delouche / bien habillé / François (+)

....

2 Le Cher / beau en août / au printemps (+)

....

3 Le domaine / grand / à l'époque de la fête (-)

....

4 François / solitaire / avant (=)

....

5 François / heureux / ses amis mariés (=)

....

ACTIVITÉS DE PRÉ-LECTURE

7 **Le titre du chapitre 9 est « Le secret ». À ton avis, parmi ces personnages, qui cache le secret dont on va parler ?**

a ☐ François
b ☐ Augustin
c ☐ Frantz
d ☐ Ganache
e ☐ Yvonne

Maintenant, écoute le chapitre 9 et vérifie ta réponse.

DELF - Production orale

8 **Parle d'un secret que tu n'as pas réussi à garder. (max. 5 minutes)**

Chapitre 9

Le secret

Le soir des noces, Meaulnes et Yvonne sont restés seuls dans leur demeure. La nouvelle mariée voulait montrer à son mari tous ses trésors : elle a sorti pour lui ses vêtements de petite fille, des jouets et des photos d'elle et de Frantz enfants avec leur mère. Ensuite, elle a joué du piano. J'ai entendu cette musique lorsque j'étais dans le bois. Plus tard, en fermant les volets, Meaulnes a entendu l'appel de Frantz et s'est enfui dans ma direction. Il est arrivé près de moi et je l'ai appelé :

– Meaulnes ! Augustin !

Comme il ne s'arrêtait pas, j'ai dit :

– Frantz est là ! Arrête-toi !

– Il est là ? Que veut-il ?

– Il est malheureux. Il veut que tu l'aides.

– Ah, je m'en doutais bien*… Raconte-moi.

Je lui ai dit tout ce que je savais, mais aussi que Frantz était loin désormais.

– Il faut que je le vois. Je peux le sauver !

– Mais, Augustin, pour une promesse enfantine, tu ne peux pas détruire ton bonheur.

– Ce n'est pas qu'une promesse…, a répondu mon ami.

Yvonne est arrivée en courant : elle était en sueur et s'était blessée

---

je m'en doutais bien je le savais, j'en étais sûr

au visage. Elle était préoccupée, comme si elle avait compris qu'il se passait quelque chose. Mais, Meaulnes était encore là et les jeunes mariés sont repartis dans la nuit.

Les jours qui ont suivi, j'étais très inquiet. Je pressentais un malheur, mais, je ne pouvais pas aller aux Sablonnières : je devais travailler. Quand enfin j'ai pu m'y rendre, quelques jours plus tard, je me suis retrouvé devant une maison aux volets fermés. Je n'osais pas frapper à la porte. Finalement, je me suis décidé et c'est M. de Galais qui m'a ouvert. J'ai tout de suite compris qu'il s'était passé quelque chose de grave :

– Yvonne est couchée. Elle a de la fièvre. Meaulnes est parti vendredi pour un long voyage. On ne sait pas quand il reviendra.

Mon ami avait donc décidé de sacrifier son bonheur. Je ne comprenais pas pourquoi. Quelle promesse le liait à Frantz ?

Tous les jeudis et tous les dimanches, je venais prendre des nouvelles d'Yvonne. Quand elle est allée mieux, j'ai pu la voir. Nous sommes restés un moment dans le salon auprès du feu. Elle m'a dit qu'elle ne savait pas quand Meaulnes reviendrait. À partir de ce moment, je suis régulièrement allé lui rendre visite. Elle ne parlait jamais de sa peine et me demandait sans cesse de lui raconter la vie à Sainte-Agathe. Son seul regret semblait être de ne pas avoir été assez intime avec son frère, car au moment où il allait si mal, il ne lui avait rien dit.

Un jour, Yvonne a voulu me montrer la preuve que son frère vivait dans un rêve. Nous nous promenions au bord d'un étang. Il allait pleuvoir. Cependant, au lieu de rentrer vers la maison, mon amie m'a emmené sur un chemin. Nous sommes arrivés devant une maison que je ne connaissais pas. Elle était isolée, petite et couverte d'ardoise comme toutes les maisons du coin.

– C'était la maison de Frantz quand il était petit, m'a expliqué Mlle de Galais. Il voulait une maison pour lui tout seul, pour venir jouer. Mon père avait trouvé cette idée extraordinaire et avait accepté. Ainsi, dès que mon frère en avait envie, il venait ici, faire comme un grand. Les enfants des alentours* venaient jouer avec lui : ils faisaient le ménage ou alors l'aidaient dans son jardin. Maintenant, ça fait longtemps que la maison est vide. Quand je passe ici et que je vois encore des enfants dans la cour, j'imagine que ce sont des amis de Frantz, qu'il est toujours lui aussi un petit garçon et qu'il va bientôt revenir.

Yvonne était tous les jours un peu plus triste. Désormais, nous étions devenus deux amis et nous attendions ensemble. Nous sommes retournés plusieurs fois à la maison de Frantz. Yvonne ouvrait les volets, aérait* pour que la maison soit prête « quand les mariés reviendraient » disait-elle... Elle m'avait aussi annoncé qu'elle allait être mère au mois d'octobre. À cette nouvelle, je lui avais demandé bêtement :

– Tu dois être bien heureuse ?

– Oui, bien heureuse, a-t-elle répondu avec un beau sourire.

Je n'ai pas vu mon amie pendant les deux mois d'été : j'étais à Sainte-Agathe chez mes parents et je ne pouvais pas les laisser. Cependant, quelques jours avant la rentrée, la première chose que j'ai faite a été d'aller aux Sablonnières. Mon amie m'a annoncé que Meaulnes n'était pas revenu et qu'elle était bien seule. Nous avons parlé de lui pour la première et dernière fois. Mlle de Galais s'est aussi confiée :

– Je pense qu'Augustin a eu peur et c'est bien normal. Nous lui avons dit : « Tiens, voici la jeune fille de tes rêves, voici ta jeunesse, voici ton bonheur ! ». Il a fui !

des alentours du voisinage
aérait faisait entrer de l'air

– Mais, enfin, tu sais bien que tu étais son bonheur !

– C'est ce que je pensais : puisqu'il m'a tant cherché et puisque je l'aime, je dois faire son bonheur. Mais, quand j'ai vu combien il était inquiet, j'ai compris que je n'étais qu'une pauvre femme. Il n'a pas cessé de me répéter qu'il n'était pas digne de moi. J'ai essayé de le consoler, mais rien ne le calmait, alors je lui ai dit : « Je t'ai retrouvé au moment où rien ne pouvait te rendre heureux. Si tu dois m'abandonner pour mieux revenir, alors pars ! ».

Je ne pouvais rien répondre à cela, car je pensais qu'elle aurait dû l'empêcher de partir, mais elle était trop généreuse et avait l'esprit de sacrifice.

Un jour, après la rentrée des classes, on est venu m'annoncer qu'une petite fille était née aux Sablonnières. L'accouchement avait été difficile et Mlle de Galais allait très mal. Je suis tout de suite parti voir mon amie et son bébé. C'était la première fois que je voyais un nourrisson. Je voulais féliciter la jeune maman, mais Yvonne était trop faible : elle ne parlait plus. Elle est morte deux jours plus tard. Le monde s'est écroulé autour de moi.

Un peu plus tard, durant l'hiver, c'est M. de Galais qui est mort. Il m'a nommé légataire universel* jusqu'au retour de Meaulnes, si jamais il revenait un jour. J'étais toujours instituteur à Saint-Benoist, mais je me suis installé au domaine : je m'occupais de la petite fille de mes chers amis.

J'espérais toujours trouver un indice de Meaulnes qui expliquerait son départ et je passais du temps dans la maison à ouvrir des boîtes, des placards, des armoires et des tiroirs. Je ne trouvais que des photos de la famille de Galais, des plumes et autres fleurs artificielles.

---

légataire universel celui qui bénéficie de la totalité des biens d'une personne morte

Un jour, dans le grenier, j'ai enfin vu la malle d'écolier de mon ami Augustin. Elle était remplie de cahiers et de livres de Sainte-Agathe. Je me suis mis avec une grande nostalgie à relire nos anciennes dictées et nos devoirs. J'ai été très surpris de trouver aussi un « Cahier de Devoirs Mensuels », car ceux-ci restaient à l'école normalement. Je l'ai ouvert. Meaulnes avait commencé à écrire quelques jours avant de quitter Sainte-Agathe. Les premières pages étaient soignées, puis mon ami avait cessé d'écrire. Cependant, en feuilletant le cahier, je me suis rendu compte que plus loin des pages étaient remplies. Là, l'écriture était rapide, peu soignée, à peine lisible. C'est lors de cette lecture que j'ai enfin découvert le secret du grand Meaulnes.

Mon ami racontait ses journées à Paris. Il disait qu'il passait tous les jours sous les fenêtres de la maison de la famille de Galais à Paris. Il avait parlé avec la jeune fille qui passait elle aussi son temps sous ces mêmes fenêtres. Ils ont commencé à se fréquenter. Cette nouvelle amie s'appelait Valentine Blondeau. Elle était couturière et vivait près de Notre-Dame. Elle avait pu renseigner Meaulnes sur les gens du domaine et mon ami se sentait proche d'elle. Elle lui avait raconté son histoire, qu'elle avait été fiancée à un homme qui l'aimait trop et qu'elle l'avait abandonné. Plus tard, Augustin l'avait demandé en mariage et, pour lui, elle avait quitté son travail. Cependant, un jour au cours de leurs fiançailles, Valentine a voulu que Meaulnes lise des lettres écrites par son ancien fiancé. Là mon ami a tout de suite reconnu l'écriture de Frantz. Il était désespéré et en colère :

– Pourquoi tu n'as pas cru en lui et en son amour pour toi ? Tout ce qu'il t'a dit était vrai !

– Comment ? Tu as connu Frantz de Galais ?

– Oui, c'était mon meilleur ami, le garçon le plus merveilleux du monde ! Et voilà, je lui ai pris sa fiancée ! C'est à cause de toi, tout est de ta faute ! Va-t-en ! Je ne veux plus te voir !

– Eh bien, si c'est ce que tu veux, je pars ! Je serai une fille perdue maintenant que je n'ai plus de métier. Adieu !

Et elle est partie.

Les jours qui ont suivi, Meaulnes a regretté d'avoir rejeté la fiancée de Frantz : il l'avait mise à la rue alors qu'il aurait dû la protéger. C'était pour la chercher que mon ami se préparait à ce grand voyage lorsque, j'étais venu lui annoncer que j'avais retrouvé Yvonne de Galais. Il n'avait rien osé dire, mais lorsqu'il avait entendu le cri du bohémien dans la forêt, le soir de ses noces, sa promesse d'adolescent lui était revenue en tête et il était parti. Le journal de mon ami terminait avec ces mots :

« Je pars. Je dois retrouver la piste des bohémiens. Je ne reviendrai auprès d'Yvonne que lorsque j'aurai installé Frantz et Valentine dans la « maison de Frantz » ».

Quant à moi, j'attendais toujours dans la triste maison. Frantz n'était pas venu au rendez-vous que je lui avais fixé un an plus tôt. Ma seule joie était la petite fille de mes amis, qui allait avoir un an. Elle riait et donnait de la joie à cette demeure.

Un matin très tôt, je me préparais à partir à la pêche, quand le grand Meaulnes est revenu : il avait une grande barbe. Il s'est avancé vers moi et je l'ai embrassé en pleurant. Il a dit :

– Elle est morte, n'est-ce pas ?

Je l'ai fait entrer dans la maison, où il a beaucoup pleuré, puis je l'ai introduit dans une chambre et j'ai dit :

– Voici ta fille.

Il l'a prise dans ses bras et l'a serrée très fort, puis il m'a dit :

– Je les ai ramenés, les deux autres… Ils sont dans leur maison.

J'étais heureux, mais, en même temps, je n'ai pu m'empêcher de penser qu'un jour le grand Meaulnes partirait avec sa fille pour de nouvelles aventures.

LE SECRET

Meaulnes a une barbe et est habillé comme un chasseur avec un grand manteau. Il rencontre sa fille pour la première fois.

Compréhension

1 **Coche si les affirmations sont vraies ou fausses. Justifie ton choix pour chaque affirmation fausse.**

	V	F
Le soir de ses noces, Meaulnes part rejoindre Frantz. *Meaulnes arrive trop tard.*	☐	☑
1 Yvonne de Galais retrouve Meaulnes dans la forêt.	☐	☐
2 Meaulnes est parti sans dire pour combien de temps.	☐	☐
3 Frantz avait une maison à lui tout seul quand il était petit.	☐	☐
4 Yvonne a décidé de vivre dans la maison de Frantz.	☐	☐
5 Yvonne va avoir un bébé dans l'été.	☐	☐
6 François passe les vacances d'été avec Yvonne.	☐	☐
7 Meaulnes revient à la fin de l'été.	☐	☐

2 **Voici deux descriptions de maison. Laquelle correspond à la maison de Frantz enfant ?**

a ☐ C'est une petite maison dans un village. Son toit est recouvert d'ardoise, comme toutes les maisons du coin. Il y a plusieurs fenêtres qui donnent sur un jardin. Il y a aussi une grande cour vide.

b ☐ C'est une petite maison isolée sur un chemin. Son toit est recouvert d'ardoise, comme toutes les maisons du coin. Il y a plusieurs fenêtres qui donnent sur un jardin. Il y a aussi une petite cour dans laquelle les enfants jouent.

3 Complète les phrases avec la bonne solution.

Selon Yvonne, Meaulnes est parti parce qu' …
a ☑ il a eu peur.
b ☐ il ne l'aime pas.
c ☐ il ne veut pas d'enfant.

1 Yvonne a dit à Meaulnes …
a ☐ de ne jamais revenir.
b ☐ de partir pour mieux revenir.
c ☐ de ne pas partir.

2 Yvonne a eu une petite fille …
a ☐ et tout s'est bien passé.
b ☐ morte née.
c ☐ et est morte deux jours plus tard.

3 Après la mort de M. de Galais, François est …
a ☐ parti loin des Sablonnières.
b ☐ devenu légataire universel.
c ☐ tombé malade.

4 François a découvert le secret de Meaulnes dans …
a ☐ un livre de cuisine.
b ☐ un cahier de devoirs mensuels.
c ☐ une armoire.

5 La fiancée de Frantz …
a ☐ n'a pas été protégée par Meaulnes.
b ☐ s'est mariée avec Meaulnes.
c ☐ n'a jamais rencontré Meaulnes.

DELF - Production orale

4 **Imagine la maison de tes rêves. Où se trouve-elle ? Quelles pièces la composent ?**

Alain-Fournier
(1886-1914)

Alain-Fournier, pseudonyme de Henri Alban Fournier, est né le 3 octobre 1886 à La Chapelle-d'Angillon, dans le Cher. Comme François Seurel dans *Le Grand Meaulnes*, il passe son enfance dans le Centre de la France et ses parents sont instituteurs.

Il poursuit des études littéraires au lycée Lakanal, à Sceaux, près de Paris. C'est là qu'il rencontre Jacques Rivière, homme de lettres, qui devient son meilleur ami et, par la suite, le mari de sa sœur Isabelle. Avec Jacques Rivière il entretient une correspondance presque quotidienne. Les deux amis apprennent ensemble leur métier d'écrivain.

En 1905, le jour de l'Ascension, Alain-Fournier croise une très belle jeune fille à Paris : Yvonne de Quiévrecourt. C'est le premier amour de sa vie et c'est certainement elle qui a inspiré le personnage d'Yvonne de Galais dans le *Grand Meaulnes*.

En 1909, après son service militaire dans le Gers, au sud-ouest de la France, Alain-Fournier revient à Paris et tient la rubrique littéraire d'un journal. Il rencontre beaucoup d'écrivains de l'époque : Paul Claudel, André Gide, Francis Jammes, Charles Péguy, Marguerite Audoux. Il se passionne pour la musique (Fauré, Debussy et Ravel), pour la peinture (Gauguin, Cézanne) et la sculpture (Camille Claudel et Bourdelle).

En 1912, devenu secrétaire de Claude Casimir-Perier, fils d'un ancien président de la République, il fait la connaissance de la comédienne Pauline Benda, alias Madame Simone, qui devient sa femme. Alain-Fournier travaille plusieurs années à son roman *Le Grand Meaulnes*, qui paraît en 1913 et qui manque de peu le Prix Goncourt. Le jeune auteur commence rapidement un deuxième roman, *Colombe Blanchet*.

En août 1914, l'écrivain est mobilisé comme lieutenant près de Verdun. En septembre de la même année, il est porté disparu. Il est déclaré mort en 1920, mais son corps n'est retrouvé et identifié qu'en 1991. Il a ensuite été enterré à Saint-Rémy-la Calonne, au nord-est de la France.

Son nom figure sur les murs du Panthéon de Paris, dans la liste des écrivains morts au champ d'honneur pendant la guerre 1914-1918.

La légende d'un écrivain qui n'aurait écrit qu'un seul roman a contribué à la gloire d'Alain-Fournier. Cependant, le texte *Colombe Blanchet*, que Jean Paulhan a mis en forme en 1920, prouve que l'œuvre d'Alain-Fournier ne s'arrête pas au *Grand Meaulnes*.

La Sologne

Le château de Chambord

Géographie de la Sologne

La Sologne se trouve dans la région Centre, entre la Loire et le Cher. Elle se situe entre les villes d'Orléans, de Blois et de Bourges.

La Sologne a toujours eu un caractère sauvage. L'humidité de la terre et un sol pauvre et sableux sont défavorables à l'agriculture et des facteurs d'insalubrité. Cependant, au cours de la Renaissance, la bourgeoisie et la noblesse développent un intérêt particulier pour son climat. C'est à cette époque que sont construits de nombreux châteaux et résidences nobles et bourgeoises. La Sologne possède une forte tradition de pêche et de chasse : la région est surtout connue pour ses étangs et ses forêts. Le territoire de la Sologne est inscrit au réseau Natura 2000 : c'est le plus grand Site d'Importance Communautaire d'Europe, couvrant presque 9% de toute la région Centre.

Les châteaux de Sologne

La Sologne compte de nombreux châteaux. En voici deux parmi les plus importants.

Le château de Chambord, au cœur du plus grand parc forestier clos d'Europe, est le plus vaste des châteaux de la Loire. Il comporte 426 pièces, 282 cheminées et plus de 77 escaliers. Il a été édifié sur ordre de François Ier entre 1519 et 1547.

Léonard de Vinci a contribué à la réalisation de ce monument.

Le château de Cheverny, construit entre 1624 et 1634 organise des chasses à courre avec chiens et chevaux. Hergé, le père de la bande dessinée Tintin, a été inspiré par Cheverny pour créer son château de Moulinsart.

La Sologne d'Alain-Fournier

Alain-Fournier situe son roman en Sologne, là où il a vécu. C'est dans cette région que tout commence, la réalité comme l'imaginaire.

Le personnage d'Augustin Meaulnes vient de La Ferté d'Angillon, alias La Chapelle d'Angillon, où Alain-Fournier est né. L'école de Sainte-Agathe correspond, dans la réalité, à la mairie-école d'Épineuil-le-Fleuriel, où les parents Fournier ont enseigné de 1903 à 1908. Une quinzaine de kilomètres plus loin, à Nançay, se trouvait la maison de Florent Raimbault, l'oncle d'Alain-Fournier. Dans le roman, elle est devenue le Vieux-Nançay, où vit l'oncle Florentin. C'est ici aussi qu'habitait Mme Charpentier, la grand-mère paternelle d'Alain-Fournier.

La IIIᵉ République et l'école

La guerre franco-allemande de 1870 se conclut par la défaite de Napoléon III à Sedan. L'humiliation est grande. La IIIᵉ République est proclamée le 4 septembre 1870, au balcon de l'hôtel de ville de Paris. C'est le régime français qui a duré le plus longtemps, depuis 1789. En effet, après la chute de la monarchie française, la France a connu sept régimes politiques : trois Monarchies constitutionnelles, deux Républiques et deux Empires. Adolphe Thiers est le premier président de la IIIᵉ République. Le drapeau tricolore remplace le drapeau blanc.

Bécassine maîtresse d'école. Texte/illustration Pinchon JP Gautier Languereau - Edition 1929

Jules Ferry est la personnalité politique qui domine les premiers gouvernements républicains de 1879 à 1885. Lorsqu'il est en charge de l'éducation nationale, l'école est remise en question. Elle doit former des citoyens éclairés. Chaque département doit se doter d'une école normale d'instituteurs (1879). L'enseignement primaire doit être gratuit (1881), obligatoire (1882) et laïque : l'instruction religieuse ne peut être dispensée qu'en dehors du cadre scolaire. Un jour sans école est instauré (le jeudi, à l'époque). Ferry développe aussi des libertés collectives et individuelles : liberté de la presse (1881), liberté syndicale (1884), possibilité de divorcer (1884) et liberté des funérailles (1887). Depuis 1884 les maires peuvent être élus par les conseils municipaux. Seule Paris reste sous la tutelle de son préfet : elle ne pourra élire son maire qu'à partir de 1976.

Petite chronologie de l'histoire de l'école en France

Loi Guizot

1833 Loi Guizot : naissance de l'enseignement primaire public. Chaque département doit avoir une école normale d'instituteurs et chaque commune de plus de 500 habitants doit ouvrir une école primaire de garçons.

1850 Loi Falloux : développement des écoles catholiques. Dans chaque commune il doit y avoir une école de garçons. Les communes de plus de 800 habitants doivent ouvrir aussi une école de filles.

1867 Loi Duruy : un impôt exceptionnel encourage les communes à mettre en place la gratuité de leur enseignement primaire ; la création d'une école de filles devient obligatoire pour les communes de plus de 500 habitants.

1881 Loi Ferry : l'école primaire publique est gratuite.

1882 Loi Ferry : l'enseignement élémentaire est obligatoire et les programmes sont laïques.

1889 Les maîtres d'école publique deviennent des fonctionnaires de l'État.

1904 Loi Combes : interdiction d'enseigner à toutes les congrégations religieuses.

1905 Loi de séparation de l'Église et de l'État.

1936 Loi Zay : école obligatoire jusqu'à 14 ans.

Loi Ferry

Correspondances célèbres et films tirés du *Grand Meaulnes*

Alain-Fournier a beaucoup écrit aussi bien à son ami et beau-frère Jacques Rivière, qu'à Madame Simone, avec laquelle il avait une liaison. Les correspondances sont souvent liées à la passion, à l'amitié et à l'amour. Voici quelques correspondances littéraires célèbres.

Héloïse et Abélard

Les lettres qu'ont échangées Héloïse et Abélard au XIe siècle représentent une des plus anciennes correspondances écrites en France. Abélard, un théologien et philosophe parisien, séduit et épouse en secret la belle Héloïse, son élève. Lorsque l'oncle d'Héloïse l'apprend, il fait émasculer Abélard. Héloïse passe le reste de sa vie au couvent d'Argenteuil, mais écrit des centaines de lettres d'amour, auxquelles Abélard répond.

Jacques Rivière Alain-Fournier
Une amitié d'autrefois

folio

Madame de Sévigné

La carrière épistolaire de Marie de Rabutin Chantal (1626-1696), veuve du marquis de Sévigné, commence en 1671, avec le départ de sa fille très aimée pour la Provence. Pendant tout le temps de séparation (plus de 8 ans), elle envoie deux à trois lettres par semaine et reçoit une réponse de sa fille à chaque courrier.

Balzac

En 1832, une femme qui signe « L'Étrangère » adresse à Honoré de Balzac une lettre par l'intermédiaire de son éditeur. C'est le début d'une liaison épistolaire qui ne finira qu'en 1850, par un mariage, quelques mois avant la mort de l'écrivain. Les lettres entre Balzac et Madame Hanska se comptent par milliers.

Les films tirés de l'œuvre d'Alain-Fournier

Il existe deux films intitulés *Le Grand Meaulnes* : celui de Jean-Gabriel Albicocco, sorti en 1967, et celui de Jean-Daniel Verhaeghe, sorti en 2006. Adapter un roman au cinéma consiste toujours à proposer une lecture qui livre la vision et l'interprétation personnelles du cinéaste. Loin de la perspective onirique, le réalisateur Jean-Daniel Verhaeghe propose une lecture réaliste de ce roman poétique.

Il a éliminé la dimension fantastique et inscrit profondément les personnages dans une réalité sociale. Par conséquent, certains passages du roman ancrés dans le merveilleux ont été supprimés. Et au contraire, le cadre historique a été accentué. M. Seurel écrit la date au tableau dès le premier plan du film : 1914. Dès lors, l'intrigue est ponctuée de détails sur la guerre. Cette dimension historique, totalement absente du roman, rejoint la volonté du réalisateur de faire coïncider le personnage de Meaulnes à la biographie d'Alain-Fournier. De fait, la mort du soldat Meaulnes parti au front, événement qui ne figure pas dans le livre, renvoie à la mort de son auteur, tué dès le début des combats en 1914.

BILAN

Coche les affirmations correctes et remets-les dans l'ordre afin de reconstituer l'histoire.

☐ Frantz veut mourir parce que ...
a ☐ sa fiancée n'est pas venue.
b ☐ il doit repartir.
c ☐ la fête n'est pas réussie.

☐ Quand Meaulnes revient, il découvre ...
a ☐ que sa femme est morte et qu'il a une fille.
b ☐ que sa fille est morte.
c ☐ que François est mort.

☑ Meaulnes arrive à Sainte-Agathe pour ...
a ☐ être instituteur.
b ☐ suivre le cours supérieur.
c ☑ faire un spectacle de cirque.

☐ Delouche comprend que le domaine se situe ...
a ☐ à Vierzon.
b ☐ à La Ferté-d'Angillon.
c ☐ au Vieux-Nançay.

☐ François découvre que Meaulnes porte ...
a ☐ un gilet de soie.
b ☐ une blouse d'écolier.
c ☐ des souliers vernis.

☐ Meaulnes quitte Sainte-Agathe pour aller à ...
a ☐ Paris.
b ☐ Bourges.
c ☐ Vierzon.

☐ La fête du domaine est organisée par ...
a ☐ une jeune fille.
b ☐ des paysans.
c ☐ des enfants.

☐ Meaulnes s'enfuit pour ...
a ☐ aller à la rencontre d'une jeune fille.
b ☐ retrouver sa mère.
c ☐ chercher les grands-parents Charpentier.

☐ Sur le bateau, Meaulnes rencontre ...
a ☐ Frantz de Galais.
b ☐ Yvonne de Galais.
c ☐ une vieille dame.

☐ Meaulnes est arrivé après une nuit ...
a ☐ chez des paysans.
b ☐ dans un village.
c ☐ dans un domaine en fête.

☐ Le bohémien est ...
a ☐ Ganache.
b ☐ Frantz de Galasis.
c ☐ un inconnu.

☐ François et Meaulnes se font attaquer et ...
a ☐ gagnent la bataille.
b ☐ sont gravement blessés.
c ☐ voler le plan pour aller au domaine.

☐ Après son mariage, Meaulnes repart ...
a ☐ pour retrouver la fiancée de Frantz.
b ☐ parce qu'il n'est pas heureux.
c ☐ parce qu'il n'aime plus Yvonne.

☐ Un bohémien arrive à l'école et ...
a ☐ se dispute avec M. Seurel.
b ☐ devient le chef de l'école.
c ☐ complète le plan de Meaulnes.

☐ L'oncle de François organise ...
a ☐ les noces de Meaulnes et d'Yvonne.
b ☐ une fête d'anniversaire.
c ☐ les retrouvailles de Meaulnes et d'Yvonne.

CONTENUS

Vocabulaire
- Les rencontres
- L'aspect physique
- Les vêtements
- Les métiers et professions
- Les sentiments
- L'amitié
- L'amour
- L'aventure
- Les lieux
- La géographie
- L'histoire
- La littérature
- L'école
- Les loisirs

Grammaire
- Les pronoms
- L'accord des adjectifs
- L'accord du participe passé
- L'expression du passé
- L'expression du futur
- L'impératif
- Le conditionnel
- L'hypothèse
- Le discours indirect

LECTURES ELI SENIORS